# PROMESAS DE DIOS *para tu vida*

EDITORIAL MUNDO HISPANO

**EDITORIAL MUNDO HISPANO**

7000 Alabama Street, El Paso, Texas 79904, EE. UU. de A.

www.EditorialMundoHispano.org

**Nuestra pasión:** Comunicar el mensaje de Jesucristo y facilitar la formación de discípulos por medios impresos y electrónicos.



**Editor:** Mario Martínez
**Diseño de la portada:** Jorge Rodríguez
**Diseño de páginas:** Mario Martínez

Clasificación Decimal Dewey: 231.7
Tema: Dios-Promesas

ISBN: 978-0-311-47089-1
EMH Núm. 47089

10 M 2 12

Impreso en Colombia
Printed in Colombia

# Contenido


**Introducción** 7

**I. Hoy Dios te ofrece:**

1. Vida nueva ... 15
2. Perdón de los pecados ... 15
3. Una vida victoriosa ... 19
4. Acceso libre a él ... 22
5. Gracia ... 23
6. Morar dentro de ti ... 27
7. La redención en Cristo ... 27
8. La salvación ... 29
9. La justificación ... 32
10. La intercesión y mediación de Cristo ... 33
11. Ánimo ... 35
12. Recompensa ... 37
13. La vida eterna ... 40
14. La resurrección ... 44
15. Una morada celestial ... 46

**II. Hoy Dios ofrece ser:**

1. Tu Padre celestial ... 53
2. Tu compañero constante ... 56
3. Favorable a ti ... 58
4. Misericordioso contigo ... 58
5. Tu refugio ... 62
6. La respuesta a tus oraciones .. 65

**III. Promesas de Dios cuando te sientas:**
1. Preocupado .................................. 71
2. Afligido .................................. 72
3. Desalentado .................................. 75
4. Enfermo .................................. 77
5. Insatisfecho .................................. 80
6. Cansado .................................. 85
7. Desesperado .................................. 86
8. Triste .................................. 90

**IV. Promesas de Dios cuando experimentes:**
1. Conflictos interpersonales .............. 97
2. Persecución .................................. 97
3. Necesidad .................................. 98
4. Tentación .................................. 100

**V. Promesas de Dios cuando necesitas:**
1. Amistad .................................. 105
2. Paz .................................. 107
3. Sabiduría .................................. 111
4. Ayuda .................................. 115
5. Confianza .................................. 116
6. Consuelo .................................. 116
7. Cuidado de Dios .................................. 119
8. Amor de Dios .................................. 119
9. Dirección .................................. 122
10. Dominio propio y sobriedad ....... 126
11. Fortaleza .................................. 128
12. Paciencia .................................. 131
13. Apoyo .................................. 133
14. Auxilio .................................. 135
15. Conocimiento .................................. 136
16. Poder espiritual .................................. 138

**VI. Promesas de Dios cuando te sientes:**
1. Inseguro y con temor .................... 143
2. Desamparado ................................ 149
3. Infeliz ........................................... 151
4. Sin protección ............................. 153
5. Abandonado por Dios .................. 156
6. Debilitado en tu fe ....................... 158

**VII. Promesas de Dios ante tu deber de:**
1. Perseverar .................................... 165
2. Someterte y sujetarte a Dios y
a los hermanos en la fe ................ 168
3. Ser humilde .................................. 169
4. Obedecer ...................................... 173
5. Testificar ...................................... 175
6. Ser agradecido .............................. 176

**VIII. El Libro de Dios te insta a:**
1. Gozar las bendiciones y los
privilegios de los hijos de Dios ..... 181
2. Vivir la plenitud de vida ............... 182
3. Vivir en el Espíritu Santo ............. 185
4. Ejercer tus dones espirituales ........ 188
5. Procurar la imagen de Dios en ti .. 190
6. Esperar la vida futura .................... 191
7. Aprovechar las oportunidades
de servicio hoy .............................. 191

# Introducción

## Las promesas de Dios para mi vida

En nuestra vida hacemos muchas promesas y también recibimos muchas promesas de parte de otras personas. Pero estas no siempre se cumplen. Porque una promesa es una expresión de la voluntad de alguien por la cual asegura que va a cumplir algo, entonces, como estas implican el ejercicio de la voluntad de la persona, esta puede o no cumplirla.

Sin embargo, si la persona que hace la promesa es confiable, esta lleva en sí el poder para transformar la mente y la actitud de alguien, pues donde antes había desesperanza, temor o incertidumbre ahora hay confianza. Por ejemplo, si se encuentra sin trabajo y le prometen que al día siguiente le darán un trabajo, o no tiene dinero para comprar una medicina pero una persona en la que usted confía plenamente le promete que en dos horas le dará el dinero, su propia actitud será distinta porque sabe que podrá recibir el dinero o tener el trabajo. Es decir, una promesa solo tiene valor si la persona que la hace es confiable, íntegra. Y aun así, puede ser que tengamos las mejores intenciones de cumplir nuestra palabra pero puede suceder algo que no podamos controlar y esto nos lleve a no cumplir con lo prometido. Y qué decir si la promesa la hace alguien que es conocido por ser mentiroso, esta será como palabras que lleva el viento.

Pero hay alguien en el que siempre podemos confiar, alguien cuyas promesas nunca fallan. No hay nadie más confiable que Dios. Él es fiel y verdadero en todo lo que dice y hace. La Escritura dice que sus promesas son "preciosas y grandísimas" (2 Ped. 1:4). Desde el principio, Dios ha hecho sus obras a través de sus palabras. Por su palabra Dios creó el universo, el mundo y todo lo que en él hay. "Porque él dijo, y fue hecho" (Sal. 33:9).

No podemos evaluar la veracidad de Dios con los parámetros humanos. Él nunca miente ni se arrepiente de sus promesas. Nunca cambia de parecer. En el libro de Números 23:19 encontramos esta verdad: "Dios no es hombre para que mienta, ni hijo de hombre para que se arrepienta. Él dijo, ¿y no lo hará? Habló, ¿y no lo cumplirá?".

**Las promesas de Dios tienen poder**

Las promesas de Dios son ciertas. Cuando él habla sus palabras llevan en sí poder. Él mismo lo declara cuando dice: "**así será mi palabra** que sale de mi boca: No volverá a mí vacía, sino que **hará lo que yo quiero**, y será prosperada en aquello para lo cual la envié" (Isa. 55:11).

La Palabra de Dios representa su poder, su forma de cumplir con sus propósitos en la tierra. Es interesante que cuando Noé salió del arca después del diluvio, Dios habló con él y le hizo una promesa. Esta nos muestra la inmutabilidad de la palabra de Dios, es decir que no cambia y se manifiesta con poder. Dios le dijo a Noé: "Mientras exista la tierra, no cesarán la siembra y la siega, el frío y el calor, el verano y el invierno, el día y la noche" (Gén. 8:22). Esta promesa es tan cierta que a través de la historia del mundo todos los seres humanos hemos planificado nuestra vida según la realidad de estas palabras. Es su palabra la que sostiene esta verdad.

Nuestra mirada humana hacia la realidad de quién es Dios es muy limitada. Tenemos que aprender a confiar en las promesas de Dios, que están basadas en su poder, que nó tiene límite.

## Las promesas de Dios son actuales

Dios dice en su palabra: "Porque todas las promesas de Dios son en él "sí"; y por tanto, también por medio de él, decimos "amén" a Dios, para su gloria por medio nuestro" (2 Cor. 1:20). Esto nos muestra claramente que cada promesa que Dios ha hecho al hombre durante la historia sigue siendo actual, en otras palabras sigue siendo vigente.

**Las promesas de Dios son importantes para él**

"Su divino poder nos ha concedido todas las cosas que pertenecen a la vida y a la piedad por medio del conocimiento de aquel que nos llamó por su propia gloria y excelencia. Mediante ellas nos han sido dadas preciosas y grandísimas promesas, para que **por ellas ustedes sean hechos participantes de la naturaleza divina**, después de haber huido de la corrupción que hay en el mundo debido a las bajas pasiones" (2 Ped. 1:3, 4).

Dios le da tanta importancia a sus promesas que a través de ellas llegamos a ser "participantes de la naturaleza divina". Esto nos muestra claramente que nosotros gozamos de su naturaleza, de su carácter, tal como fue mostrado en Cristo. Dios nos invita a gozar de la vida abundante y a tener protección de la corrupción que reina en el mundo y todo esto gracias a sus promesas. Si no vivimos conforme a sus promesas, solo estamos "sobreviviendo".

Cristo mismo lo prometió cuando dijo: "Yo he venido para que tengan vida, y para que la tengan en abundancia" (Juan 10:10b). La salvación en Cristo nos da entrada a esta lluvia de bendiciones que Dios tiene para sus hijos. Él mismo dijo: "Y todo lo que pidan en mi nombre, eso haré para que el Padre sea glorificado en el Hijo. Si me piden alguna cosa en mi nombre, yo la haré" (Juan 14:13, 14). No hay mayor seguridad que la que nuestro Señor mismo declara cuando dice: "En aquel día no me preguntarán nada. De cierto, de cierto les digo que todo cuanto pidan al Padre en mi nombre, él se lo dará. Hasta ahora no han pedido nada en mi nombre. Pidan y recibirán, para que su gozo sea completo" (Juan 16:23, 24).

## Disfrutemos pues de las promesas de Dios

Alabamos a Dios por sus promesas y por la seguridad que tenemos de que él las cumple. Usted encontrará muchas de ellas en este libro que no es más que una recopilación de lo que la misma Biblia nos dice.

Editorial Mundo Hispano se complace de poner en sus manos estas promesas de la Palabra de Dios. Las promesas de Dios son para nuestra propia vida y para nuestra bendición. Su vida será enriquecida cuando usted las haga propias y pida al Señor su cumplimiento en su experiencia de vida.

Raquel Contreras

Directora Editorial

# I

## Hoy Dios te ofrece:


1. Vida nueva .................................. 15
2. Perdón de los pecados ............. 15
3. Una vida victoriosa .................... 19
4. Acceso libre a él ......................... 22
5. Gracia ........................................... 23
6. Morar dentro de ti ..................... 27
7. La redención en Cristo ............. 27
8. La salvación ................................. 29
9. La justificación ........................... 32
10. La intercesión y la mediación de Cristo ........................................ 33
11. Ánimo .......................................... 35
12. Recompensa ............................... 37
13. La vida eterna ............................ 40
14. La resurrección .......................... 44
15. Una morada celestial ................ 46

## Hoy Dios te ofrece:
## VIDA NUEVA

De modo que si alguno está en Cristo, nueva criatura es; las cosas viejas pasaron; he aquí todas son hechas nuevas.

*2 Corintios 5:17*

Les daré un corazón nuevo y pondré un espíritu nuevo dentro de ustedes. Quitaré de su carne el corazón de piedra y les daré un corazón de carne.

*Ezequiel 36:26*

## Hoy Dios te ofrece:
## PERDÓN DE LOS PECADOS

Mientras ustedes estaban muertos en los delitos y en la incircuncisión de su carne, Dios les dio vida juntamente con él, perdonándonos todos los delitos.

*Colosenses 2:13*

En él tenemos redención por medio de su sangre, el perdón de nuestras transgresiones, según las riquezas de su gracia.

*Efesios 1:7*

Deje el impío su camino, y el hombre inicuo sus pensamientos. Vuélvase al SEÑOR, quien tendrá de él misericordia; y a nuestro Dios, quien será amplio en perdonar.

*Isaías 55:7*

Los limpiaré de toda la maldad con que pecaron contra mí; perdonaré todos sus pecados con que pecaron y se rebelaron contra mí.

*Jeremías 33:8*

Bienaventurado aquel cuya transgresión ha sido perdonada y ha sido cubierto su pecado.

*Salmo 32:1*

Hijitos míos, estas cosas les escribo para que no pequen. Y si alguno peca, abogado tenemos delante del Padre, a Jesucristo el justo.

*1 Juan 2:1*

Has perdonado la iniquidad de tu pueblo; has cubierto todos sus pecados.

*Salmo 85:2*

Si confesamos nuestros pecados, él es fiel y justo para perdonar nuestros pecados y limpiarnos de toda maldad.

*1 Juan 1:9*

Porque seré misericordioso en cuanto a sus injusticias y jamás me acordaré de sus pecados.

*Hebreos 8:12*

De la manera que el Señor los perdonó, así también háganlo ustedes.

*Colosenses 3:13b*

Porque si perdonan a los hombres sus ofensas, su Padre celestial también les perdonará a ustedes.

*Mateo 6:14*

Vengan, pues, dice el SEÑOR; y razonemos juntos: Aunque sus pecados sean como la grana, como la nieve serán emblanquecidos. Aunque sean rojos como el carmesí, vendrán a ser como blanca lana.

*Isaías 1:18*

Gracia a ustedes y paz, de parte de Dios nuestro Padre y del Señor Jesucristo quien se dio a sí mismo por nuestros pecados. De este modo nos libró de la presente época malvada, conforme a la voluntad de nuestro Dios y Padre, a quien sea la gloria por los siglos de los siglos. Amén.

*Gálatas 1:3-5*

Yo soy, yo soy el que borro tus rebeliones por amor de mí, y no me acordaré más de tus pecados.

*Isaías 43:25*

—¡He aquí el Cordero de Dios que quita el pecado del mundo!

*Juan 1:29b*

Tan lejos como está el oriente del occidente así hizo alejar de nosotros nuestras rebeliones.

*Salmo 103:12*

Al que nos ama y nos libró de nuestros pecados con su sangre.

*Apocalipsis 1:5b*

Más bien, sean bondadosos y misericordiosos los unos con los otros, perdonándose unos a otros como Dios también los perdonó a ustedes en Cristo.

*Efesios 4:32*

Bendice, oh alma mía, al SEÑOR. Bendiga todo mi ser su santo nombre. Bendice, oh alma mía, al SEÑOR y no olvides ninguno de sus beneficios. Él es quien perdona todas tus iniquidades, el que sana todas tus dolencias, el que rescata del hoyo tu vida, el que te corona de favores y de misericordia, el que sacia con bien tus anhelos de modo que te rejuvenezcas como el águila.

*Salmo 103:1-5*

Si el mal viniera sobre nosotros (espada de juicio, peste o hambre), nos presentaremos delante de este templo y delante de ti, porque tu nombre está en este templo. A ti clamaremos en nuestra tribulación, y tú nos escucharás y librarás.

*2 Crónicas 20:9*

He borrado como niebla tus rebeliones, y como nube tus pecados. Vuelve a mí, porque yo te he redimido.

*Isaías 44:22*

Pero si andamos en luz, como él está en luz, tenemos comunión unos con otros y la sangre de su Hijo Jesús nos limpia de todo pecado.

*1 Juan 1:7*

"Ya nadie enseñará a su prójimo ni nadie a su hermano, diciendo: 'Conoce al SEÑOR'. Pues todos ellos me conocerán, desde el más pequeño de ellos hasta el más grande, dice el SEÑOR. Porque yo perdonaré su iniquidad y no me acordaré más de su pecado".

*Jeremías 31:34*

## Hoy Dios te ofrece:
## UNA VIDA VICTORIOSA

Porque todo lo que ha nacido de Dios vence al mundo; y esta es la victoria que ha vencido al mundo: nuestra fe. ¿Quién es el que vence al mundo sino el que cree que Jesús es el Hijo de Dios?

*1 Juan 5:4, 5*

Pero gracias a Dios quien nos da la victoria por medio de nuestro Señor Jesucristo.

*1 Corintios 15:57*

Más bien, en todas estas cosas somos más que vencedores por medio de aquel que nos amó. Por lo cual estoy convencido de que ni la muerte ni la vida ni ángeles ni principados ni lo presente ni lo porvenir ni poderes ni lo alto ni lo profundo, ni ninguna otra cosa creada nos podrá separar del amor de Dios que es en Cristo Jesús, Señor nuestro.

*Romanos 8:37-39*

Amados, no se venguen ustedes mismos sino dejen lugar a la ira de Dios, porque está escrito: Mía es la venganza; yo pagaré, dice el Señor. Más bien, si tu enemigo tiene hambre, dale de comer; y si tiene sed, dale de beber; pues haciendo esto, carbones encendidos amontonarás sobre su cabeza. No seas vencido por el mal sino vence el mal con el bien.

*Romanos 12:19-21*

No teman ni desmayen delante de esta multitud tan grande, porque la batalla no será suya, sino de Dios.

*2 Crónicas 20:15b*

Oí una gran voz en el cielo que decía: "¡Ahora ha llegado la salvación y el poder y el reino de nuestro Dios, y la autoridad de su Cristo! Porque ha sido arrojado el acusador de nuestros hermanos, el que los acusaba día y noche delante de nuestro Dios. Y ellos lo han vencido por causa de la sangre del Cordero y de la palabra del testimonio de ellos, porque no amaron sus vidas hasta la muerte.

*Apocalipsis 12:10, 11*

En mi corazón he guardado tus dichos para no pecar contra ti.

*Salmo 119:11*

Sométanse, pues, a Dios. Resistan al diablo, y él huirá de ustedes.

*Santiago 4:7*

Sean sobrios y velen. Su adversario, el diablo, como león rugiente, anda alrededor buscando a quién devorar. Resistan al tal, estando firmes en la fe, sabiendo que los mismos sufrimientos se van cumpliendo entre sus hermanos en todo el mundo.

*1 Pedro 5:8, 9*

Hijitos, ustedes son de Dios, y los han vencido, porque el que está en ustedes es mayor que el que está en el mundo.

*1 Juan 4:4*

Pero gracias a Dios que hace que siempre triunfemos en Cristo y que manifiesta en todo lugar el olor de su conocimiento por medio de nosotros.

*2 Corintios 2:14*

¿Dónde está, oh muerte, tu victoria? ¿Dónde está, oh muerte, tu aguijón? Pues el aguijón de la muerte es el pecado, y el poder del pecado es la ley. Pero gracias a Dios quien nos da la victoria por medio de nuestro Señor Jesucristo.

*1 Corintios 15:55-57*

Les he hablado de estas cosas para que en mí tengan paz. En el mundo tendrán aflicción, pero ¡tengan valor; yo he vencido al mundo!

*Juan 16:33*

El que tiene oído, oiga lo que el Espíritu dice a las iglesias. Al que venza le daré de comer del árbol de la vida que está en medio del paraíso de Dios. El que tiene oído, oiga lo que el Espíritu dice a las iglesias. El que venza, jamás recibirá daño de la muerte segunda. El que tiene oído, oiga lo que el Espíritu dice a las iglesias. Al que venza le daré de comer del maná escondido, y le daré una piedrecita blanca y en la piedrecita un nombre nuevo escrito, que nadie conoce sino el que lo recibe.

*Apocalipsis 2:7, 11, 17*

## Hoy Dios te ofrece: ACCESO LIBRE A ÉL

Así que, hermanos, teniendo plena confianza para entrar al lugar santísimo por la sangre de Jesús, por el camino nuevo y vivo que él nos abrió a través del velo (es decir, su cuerpo), y teniendo un gran sacerdote sobre la casa de Dios, acerquémonos con corazón sincero, en plena certidumbre de fe, purificados los corazones de mala conciencia, y lavados los cuerpos con agua pura.

*Hebreos 10:19-22*

El sol se oscureció y el velo del templo se rasgó por en medio. Entonces Jesús, gritando a gran voz, dijo:

—*¡Padre, en tus manos encomiendo mi espíritu!*

Y habiendo dicho esto, expiró.

*Lucas 23:45, 46*

Tenemos la esperanza como ancla de la vida, segura y firme, y que penetra aun dentro del velo donde entró Jesús por nosotros como precursor, hecho sumo sacerdote para siempre según el orden de Melquisedec.

*Hebreos 6:19, 20*

Al que nos ama y nos libró de nuestros pecados con su sangre, y nos constituyó en un reino, sacerdotes para Dios su Padre; a él sea la gloria y el dominio para siempre jamás. Amén.

*Apocalipsis 1:5b, 6*

## Hoy Dios te ofrece: GRACIA

Pero Dios, quien es rico en misericordia, a causa de su gran amor con que nos amó, aun estando nosotros muertos en delitos, nos dio vida juntamente con Cristo. ¡Por gracia son salvos! Porque por gracia son salvos por medio de la fe; y esto no de ustedes pues es don de Dios. No es por obras, para que nadie se gloríe.

*Efesios 2:4, 5, 8, 9*

Porque de su plenitud todos nosotros recibimos, y gracia sobre gracia. La ley fue dada por medio de Moisés, pero la gracia y la verdad nos han llegado por medio de Jesucristo.

*Juan 1:16, 17*

Más bien, nosotros creemos que somos salvos por la gracia del Señor Jesús, del mismo modo que ellos.

*Hechos 15:11*

Porque el pecado no se enseñoreará de ustedes, ya que no están bajo la ley sino bajo la gracia.

*Romanos 6:14*

Pues no hay distinción porque todos pecaron y no alcanzan la gloria de Dios, siendo justificados gratuitamente por su gracia mediante la redención que es en Cristo Jesús.

*Romanos 3:22b-24*

Por esto, proviene de la fe a fin de que sea según la gracia, para que la promesa sea firme para toda su descendencia. No para el que es solamente de la ley sino también para el que es de la fe de Abraham, quien es padre de todos nosotros.

*Romanos 4:16*

Justificados, pues, por la fe tenemos paz para con Dios por medio de nuestro Señor Jesucristo, por medio de quien también hemos obtenido acceso por la fe a esta gracia en la cual estamos firmes y nos gloriamos en la esperanza de la gloria de Dios.

*Romanos 5:1, 2*

Pero la gracia de nuestro Señor fue más que abundante con la fe y el amor que hay en Cristo Jesús.

*1 Timoteo 1:14*

Porque si por la ofensa de uno reinó la muerte por aquel uno, cuánto más reinarán en vida los que reciben la abundancia de su gracia y la dádiva de la justicia mediante aquel uno: Jesucristo.

*Romanos 5:17*

Así también, en este tiempo presente se ha levantado un remanente según la elección de gracia. Y si es por la gracia no procede de las obras; de otra manera, la gracia ya no sería gracia.

*Romanos 11:5, 6*

Porque conocen la gracia de nuestro Señor Jesucristo, que siendo rico, por amor de ustedes se hizo pobre, para que ustedes con su pobreza fueran enriquecidos.

*2 Corintios 8:9*

Me es justo sentir esto de todos ustedes, porque los tengo en mi corazón. Tanto en mis prisiones como en la defensa y confirmación del evangelio, son todos ustedes participantes conmigo de la gracia.

*Filipenses 1:7*

Ustedes, maridos, de la misma manera vivan con ellas con comprensión, dando honor a la mujer como a vaso más frágil y como a coherederas de la gracia de la vida, para que sus oraciones no sean estorbadas.

*1 Pedro 3:7*

Pero cuando se manifestó la bondad de Dios nuestro Salvador y su amor por los hombres, él nos salvó, no por las obras de justicia que nosotros hubiésemos hecho, sino según su misericordia; por medio del lavamiento de la regeneración y de la renovación del Espíritu Santo que él derramó sobre nosotros abundantemente por medio de Jesucristo nuestro Salvador. Y esto para que, justificados por su gracia, seamos hechos herederos conforme a la esperanza de la vida eterna.

*Tito 3:4-7*

Porque la gracia salvadora de Dios se ha manifestado a todos los hombres.

*Tito 2:11*

Les he escrito brevemente por medio de Silas, a quien considero un hermano fiel, para exhortar y testificar que esta es la verdadera gracia de Dios. Estén firmes en ella.

*1 Pedro 5:12*

Más bien, crezcan en la gracia y en el conocimiento de nuestro Señor y Salvador Jesucristo. A él sea la gloria ahora y hasta el día de la eternidad. Amén.

*2 Pedro 3:18*

## Hoy Dios te ofrece: MORAR DENTRO DE TI

He aquí, yo estoy a la puerta y llamo; si alguno oye mi voz y abre la puerta, entraré a él y cenaré con él, y él conmigo.

*Apocalipsis 3:20*

Con Cristo he sido juntamente crucificado; y ya no vivo yo sino que Cristo vive en mí. Lo que ahora vivo en la carne, lo vivo por la fe en el Hijo de Dios quien me amó y se entregó a sí mismo por mí.

*Gálatas 2:20*

¿Qué acuerdo puede haber entre un templo de Dios y los ídolos? Porque nosotros somos templo del Dios viviente, como Dios dijo: Habitaré y andaré entre ellos. Yo seré su Dios, y ellos serán mi pueblo.

*2 Corintios 6:16*

¿O no saben que su cuerpo es templo del Espíritu Santo, que mora en ustedes, el cual tienen de Dios, y que no son de ustedes? Pues han sido comprados por precio. Por tanto, glorifiquen a Dios en su cuerpo.

*1 Corintios 6:19, 20*

## Hoy Dios te ofrece: LA REDENCIÓN EN CRISTO

Pero ahora, así ha dicho el SEÑOR, el que te creó, oh Jacob; el que te formó, oh Israel: "No temas, porque yo te he redimido. Te he llamado por tu nombre; tú eres mío.

*Isaías 43:1*

He borrado como niebla tus rebeliones, y como nube tus pecados. Vuelve a mí, porque yo te he redimido.

*Isaías 44:22*

Los rescatados del SEÑOR volverán y entrarán en Sion con cánticos. Y sobre sus cabezas habrá alegría perpetua. Alcanzarán gozo y alegría, y huirán la tristeza y el gemido.

*Isaías 51:11*

Esta es la justicia de Dios por medio de la fe en Jesucristo para todos los que creen. Pues no hay distinción porque todos pecaron y no alcanzan la gloria de Dios, siendo justificados gratuitamente por su gracia mediante la redención que es en Cristo Jesús.

*Romanos 3:22-24*

En él tenemos redención por medio de su sangre, el perdón de nuestras transgresiones, según las riquezas de su gracia que hizo sobreabundar para con nosotros en toda sabiduría y entendimiento.

*Efesios 1:7, 8*

Y no entristezcan al Espíritu Santo de Dios en quien fueron sellados para el día de la redención.

*Efesios 4:30*

Él nos ha librado de la autoridad de las tinieblas y nos ha trasladado al reino de su Hijo amado, en quien tenemos redención, el perdón de los pecados.

*Colosenses 1:13, 14*

Pero estando ya presente Cristo —el sumo sacerdote de los bienes que han venido, por medio del más amplio y perfecto tabernáculo no hecho de manos; es decir, no de esta creación— entró una vez para siempre en el lugar santísimo logrando así eterna redención, ya no mediante sangre de machos cabríos ni de becerros sino mediante su propia sangre.

*Hebreos 9:11, 12*

## Hoy Dios te ofrece:
## LA SALVACIÓN

Porque el Hijo del Hombre ha venido a buscar y a salvar lo que se había perdido.

*Lucas 19:10*

Fue él quien nos salvó y nos llamó con santo llamamiento, no conforme a nuestras obras sino conforme a su propio propósito y gracia, la cual nos fue dada en Cristo Jesús antes del comienzo del tiempo.

*2 Timoteo 1:9*

Porque de tal manera amó Dios al mundo, que ha dado a su Hijo unigénito para que todo aquel que en él cree no se pierda mas tenga vida eterna.

*Juan 3:16*

Que si confiesas con tu boca que Jesús es el Señor y si crees en tu corazón que Dios le levantó de entre los muertos, serás salvo.

*Romanos 10:9*

Porque por gracia son salvos por medio de la fe; y esto no de ustedes pues es don de Dios. No es por obras, para que nadie se gloríe.

*Efesios 2:8, 9*

De modo que si alguno está en Cristo, nueva criatura es; las cosas viejas pasaron; he aquí todas son hechas nuevas.

*2 Corintios 5:17*

Él nos salvó, no por las obras de justicia que nosotros hubiésemos hecho, sino según su misericordia; por medio del lavamiento de la regeneración y de la renovación del Espíritu Santo.

*Tito 3:5*

Si confesamos nuestros pecados, él es fiel y justo para perdonar nuestros pecados y limpiarnos de toda maldad.

*1 Juan 1:9*

La salvación de los justos proviene del SEÑOR; él es su fortaleza en el tiempo de angustia. El SEÑOR los ayudará y los librará; los librará de los impíos y los salvará porque en él se han refugiado.

*Salmo 37:39, 40*

Me mostrarás la senda de la vida. En tu presencia hay plenitud de gozo, delicias en tu diestra para siempre.

*Salmo 16:10*

En aquel día dirás: "¡Te doy gracias, oh SEÑOR! Aunque te enojaste contra mí, tu ira se apartó, y me has consolado. ¡He aquí, Dios es mi salvación! Confiaré y no temeré, porque el SEÑOR es mi fortaleza y mi canción; él es mi salvación". Con regocijo sacarán agua de los manantiales de la salvación.

*Isaías 12:1-3*

Porque Dios no envió a su Hijo al mundo para condenar al mundo sino para que el mundo sea salvo por él. El que cree en él no es condenado; pero el que no cree ya ha sido condenado porque no ha creído en el nombre del unigénito Hijo de Dios.

*Juan 3:17, 18*

Porque no nos ha puesto Dios para ira, sino para alcanzar salvación por medio de nuestro Señor Jesucristo, quien murió por nosotros para que, ya sea que velemos o sea que durmamos, vivamos juntamente con él.

*1 Tesalonicenses 5:9, 10*

Así también Cristo fue ofrecido una sola vez para quitar los pecados de muchos. La segunda vez, ya sin relación con el pecado, aparecerá para salvación a los que lo esperan.

*Hebreos 9:28*

—Cree en el Señor Jesús y serás salvo, tú y tu casa.

*Hechos 16:31*

Ahora pues, ninguna condenación hay para los que están en Cristo Jesús, porque la ley del Espíritu de vida en Cristo Jesús me ha librado de la ley del pecado y de la muerte.

*Romanos 8:1, 2*

## Hoy Dios te ofrece: LA JUSTIFICACIÓN

Justificados, pues, por la fe tenemos paz para con Dios por medio de nuestro Señor Jesucristo, por medio de quien también hemos obtenido acceso por la fe a esta gracia en la cual estamos firmes y nos gloriamos en la esperanza de la gloria de Dios.

*Romanos 5:1, 2*

Por lo tanto, hermanos, sea conocido de ustedes que por medio de él se les anuncia el perdón de pecados. Y de todo lo que por la ley de Moisés no pudieron ser justificados, en él es justificado todo aquel que cree.

*Hechos 13:38, 39*

Esta es la justicia de Dios por medio de la fe en Jesucristo para todos los que creen. Pues no hay distinción porque todos pecaron y no alcanzan la gloria de Dios, siendo justificados gratuitamente por su gracia mediante la redención que es en Cristo

Jesús. Así que consideramos que el hombre es justificado por la fe sin las obras de la ley.

*Romanos 3:22-24, 28*

Sabemos que a los que antes conoció, también los predestinó para que fuesen hechos conformes a la imagen de su Hijo a fin de que él sea el primogénito entre muchos hermanos. Y a los que predestinó, a estos también llamó; y a los que llamó, a estos también justificó; y a los que justificó, a estos también glorificó.

*Romanos 8:29, 30*

Pero cuando se manifestó la bondad de Dios nuestro Salvador y su amor por los hombres, él nos salvó, no por las obras de justicia que nosotros hubiésemos hecho, sino según su misericordia; por medio del lavamiento de la regeneración y de la renovación del Espíritu Santo que él derramó sobre nosotros abundantemente por medio de Jesucristo nuestro Salvador. Y esto para que, justificados por su gracia, seamos hechos herederos conforme a la esperanza de la vida eterna.

*Tito 3:4-7*

## Hoy Dios te ofrece: LA INTERCESIÓN Y MEDIACIÓN DE CRISTO

Por esto también puede salvar por completo a los

que por medio de él se acercan a Dios, puesto que vive para siempre para interceder por ellos.

*Hebreos 7:25*

Y asimismo, también el Espíritu nos ayuda en nuestras debilidades; porque no sabemos cómo debiéramos orar pero el Espíritu mismo intercede con gemidos indecibles.

*Romanos 8:26*

¿Quién es el que condenará? Cristo es el que murió; más aun, es el que también resucitó; quien, además, está a la diestra de Dios, y quien también intercede por nosotros.

*Romanos 8:34*

Porque hay un solo Dios y un solo mediador entre Dios y los hombres, Jesucristo hombre, quien se dio a sí mismo en rescate por todos, de lo cual se dio testimonio a su debido tiempo.

*1 Timoteo 2:5, 6*

Más bien, se han acercado... a Jesús el mediador del nuevo pacto, y a la sangre rociada que habla mejor que la de Abel.

*Hebreos 12:22a, 24*

Por esta razón, también es mediador del nuevo pacto, para que los que han sido llamados reciban la promesa de la herencia eterna, ya que intervino muerte para redimirlos de las transgresiones bajo el primer pacto.

*Hebreos 9:15*

## **Hoy Dios te ofrece: ÁNIMO**

No nos cansemos, pues, de hacer el bien porque a su tiempo cosecharemos, si no desmayamos.

*Gálatas 6:9*

Yo soy la vid, ustedes las ramas. El que permanece en mí y yo en él, este lleva mucho fruto. Pero separados de mí nada pueden hacer.

*Juan 15:5*

Así que, hermanos míos amados, estén firmes y constantes, abundando siempre en la obra del Señor, sabiendo que su arduo trabajo en el Señor no es en vano.

*1 Corintios 15:58*

Por tanto, nosotros también, teniendo en derredor nuestro tan grande nube de testigos, despojémonos de todo peso y del pecado que tan fácilmente nos enreda, y corramos con perseverancia la carrera que tenemos delante de nosotros puestos los ojos en Jesús, el autor y consumador de la fe, quien por el gozo que tenía delante de él sufrió la cruz, menospreciando el oprobio, y se ha sentado a la diestra del trono de Dios.

*Hebreos 12:1, 2*

Bendito sea el Dios y Padre de nuestro Señor Jesucristo, Padre de misericordias y Dios de toda consolación, quien nos consuela en todas nuestras tribulaciones. De esta manera, con la consolación con que nosotros mismos somos consolados por Dios, también nosotros podemos consolar a los que están en cualquier tribulación. Porque de la manera que abundan a favor nuestro las aflicciones de Cristo, así abunda también nuestra consolación por el mismo Cristo.

*2 Corintios 1:3-5*

Pero gracias a Dios que hace que siempre triunfemos en Cristo y que manifiesta en todo lugar el olor de su conocimiento por medio de nosotros.

*2 Corintios 2:14*

Por esto, teniendo nosotros este ministerio según la misericordia que nos fue dada, no desmayamos... Por tanto, no desmayamos; más bien, aunque se va desgastando nuestro hombre exterior, el interior, sin embargo, se va renovando de día en día... No fijando nosotros la vista en las cosas que se ven sino en las que no se ven; porque las que se ven son temporales, mientras que las que no se ven son eternas.

*2 Corintios 4:1, 16, 18*

Y me ha dicho: "Bástate mi gracia, porque mi poder se perfecciona en la debilidad". Por tanto, de buena gana me gloriaré más bien en mis debilidades, para que habite en mí el poder de Cristo. Por eso me complazco en las debilidades, afrentas, necesidades, persecuciones y angustias por la causa de Cristo; porque cuando soy débil, entonces soy fuerte.

*2 Corintios 12:9, 10*

## Hoy Dios te ofrece:
## RECOMPENSA

Si tu enemigo tiene hambre dale de comer pan; y si tiene sed dale de beber agua; pues así carbones encendidos tú amontonas sobre su cabeza, y el SEÑOR te recompensará.

*Proverbios 25:21, 22*

Bienaventurado el hombre que persevera bajo la prueba porque, cuando haya sido probado, recibirá la corona de vida que Dios ha prometido a los que lo aman.

*Santiago 1:12*

Y todo lo que hagan, háganlo de buen ánimo como para el Señor y no para los hombres, sabiendo que del Señor recibirán la recompensa de la herencia. ¡A Cristo el Señor sirven!

*Colosenses 3:23, 24*

Jesús le dijo:
—De cierto les digo que no hay nadie que haya dejado casa, o hermanos, o hermanas, o madre, o padre, o hijos, o campos, por causa de mí y del evangelio, que no reciba cien veces más ahora en este tiempo: casas, hermanos, hermanas, madres, hijos y campos, con persecuciones; y en la edad venidera, la vida eterna.

*Marcos 10:29, 30*

Bienaventurado el hombre que no anda según el consejo de los impíos ni se detiene en el camino de los pecadores ni se sienta en la silla de los burladores. Más bien, en la ley del SEÑOR está su delicia, y en ella medita de día y de noche. Será como un árbol plantado junto a corrientes de aguas que da su fruto a su tiempo y su hoja no cae. Todo lo que hace prosperará.

*Salmo 1:1-3*

Más bien, amen a sus enemigos y hagan bien y den prestado sin esperar ningún provecho. Entonces la recompensa de ustedes será grande y serán hijos del Altísimo; porque él es benigno para con los ingratos y los perversos.

*Lucas 6:35*

Cualquiera que da a uno de estos pequeñitos un vaso de agua fría solamente porque es mi discípulo, de cierto les digo que jamás perderá su recompensa.

*Mateo 10:42*

No tengas ningún temor de las cosas que has de padecer. He aquí, el diablo va a echar a algunos de ustedes en la cárcel para que sean probados, y tendrán tribulación por diez días. Sé fiel hasta la muerte, y yo te daré la corona de la vida.

*Apocalipsis 2:10*

Él recompensará a cada uno conforme a sus obras: vida eterna a los que por su perseverancia en las buenas obras buscan gloria, honra e incorrupción;

pero enojo e ira a los que son contenciosos y no obedecen a la verdad sino que obedecen a la injusticia; tribulación y angustia sobre toda persona que hace lo malo (el judío primero, y también el griego); pero gloria, honra y paz a cada uno que hace el bien (al judío primero, y también al griego).

*Romanos 2:6-10*

Así que, no juzguen nada antes de tiempo, hasta que venga el Señor quien, a la vez, sacará a la luz las cosas ocultas de las tinieblas y hará evidentes las intenciones de los corazones. Entonces tendrá cada uno la alabanza de parte de Dios.

*1 Corintios 4:5*

Pero tú, cuando ores, entra en tu habitación, cierra la puerta y ora a tu Padre que está en secreto; y tu Padre que ve en secreto te recompensará.

*Mateo 6:6*

Al que venza y guarde mis obras hasta el fin, yo le daré autoridad sobre las naciones, —él las guiará con cetro de hierro; como vaso de alfarero son quebradas—, así como yo también he recibido de mi Padre. Además, yo le daré la estrella de la mañana.

*Apocalipsis 2:26-28*

De esta manera, el que venza será vestido con vestidura blanca; y nunca borraré su nombre del libro de la vida, y confesaré su nombre delante de mi Padre y delante de sus ángeles.

*Apocalipsis 3:5*

"Por lo tanto, cualquiera que quebranta el más pequeño de estos mandamientos y así enseña a los hombres, será considerado el más pequeño en el reino de los cielos. Pero cualquiera que los cumple y los enseña, este será considerado grande en el reino de los cielos.

*Mateo 5:19*

Pero cuando tú hagas obras de misericordia, no sepa tu izquierda lo que hace tu derecha, de modo que tus obras de misericordia sean en secreto. Y tu Padre que ve en secreto te recompensará.

*Mateo 6:3, 4*

## Hoy Dios te ofrece: LA VIDA ETERNA

—De cierto les digo que no hay nadie que haya dejado casa, o hermanos, o hermanas, o madre, o padre, o hijos, o campos, por causa de mí y del evangelio, que no reciba cien veces más ahora en este tiempo: casas, hermanos, hermanas, madres, hijos y campos, con persecuciones; y en la edad venidera, la vida eterna.

*Marcos 10:29, 30*

De cierto, de cierto les digo que el que oye mi palabra y cree al que me envió tiene vida eterna. El tal no viene a condenación sino que ha pasado de muerte a vida.

*Juan 5:24*

De cierto, de cierto les digo: El que cree tiene vida eterna.

*Juan 6:47*

Pero ahora, libres del pecado y hechos siervos de Dios, tienen como su recompensa la santificación y, al fin, la vida eterna. Porque la paga del pecado es muerte; pero el don de Dios es vida eterna en Cristo Jesús, Señor nuestro.

*Romanos 6:22, 23*

Sabiendo que el que resucitó al Señor Jesús también nos resucitará a nosotros con Jesús y nos presentará a su lado juntamente con ustedes.

*2 Corintios 4:14*

Y esto para que, justificados por su gracia, seamos hechos herederos conforme a la esperanza de la vida eterna.

*Tito 3:7*

Y ahora ha sido manifestada por la aparición de nuestro Salvador Cristo Jesús. Él anuló la muerte y sacó a la luz la vida y la inmortalidad por medio del evangelio.

*2 Timoteo 1:10*

Jesús le dijo:

—Yo soy la resurrección y la vida. El que cree en mí, aunque muera, vivirá. Y todo aquel que vive y cree en mí no morirá para siempre. ¿Crees esto?

*Juan 11:25, 26*

Por esta razón, también es mediador del nuevo pacto, para que los que han sido llamados reciban la promesa de la herencia eterna, ya que intervino muerte para redimirlos de las transgresiones bajo el primer pacto.

*Hebreos 9:15*

Porque el que siembra para su carne, de la carne cosechará corrupción; pero el que siembra para el Espíritu, del Espíritu cosechará vida eterna.

*Gálatas 6:8*

La ley entró para agrandar la ofensa, pero en cuanto se agrandó el pecado sobreabundó la gracia para que, así como el pecado reinó para muerte, así también la gracia reine por la justicia para vida eterna por medio de Jesucristo nuestro Señor.

*Romanos 5:20, 21*

Porque de tal manera amó Dios al mundo, que ha dado a su Hijo unigénito para que todo aquel que en él cree no se pierda mas tenga vida eterna.

*Juan 3:16*

Basada en la esperanza de la vida eterna, que el Dios que no miente prometió desde antes del comienzo del tiempo.

*Tito 1:2*

Y esta es la promesa que él nos ha hecho: la vida eterna.

*1 Juan 2:25*

Y esta es la vida eterna: que te conozcan a ti, el único Dios verdadero, y a Jesucristo a quien tú has enviado.

*Juan 17:3*

Y este es el testimonio: que Dios nos ha dado vida eterna, y esta vida está en su Hijo. Estas cosas les he escrito a ustedes que creen en el nombre del Hijo de Dios para que sepan que tienen vida eterna.

*1 Juan 5:11, 13*

Mis ovejas oyen mi voz, y yo las conozco, y me siguen. Yo les doy vida eterna, y no perecerán jamás, y nadie las arrebatará de mi mano.

*Juan 10:27, 28*

Y todo aquel que deja casas, o hermanos, o hermanas, o padre, o madre, o mujer, o hijos, o campos por causa de mi nombre, recibirá cien veces más y heredará la vida eterna.

*Mateo 19:29*

No obstante, sabemos que el Hijo de Dios está presente y nos ha dado entendimiento para conocer al que es verdadero; y estamos en el verdadero, en su Hijo Jesucristo. Este es el verdadero Dios y la vida eterna.

*1 Juan 5:20*

Pero cualquiera que beba del agua que yo le daré, nunca más tendrá sed sino que el agua que yo le daré será en él una fuente de agua que salte para vida eterna.

*Juan 4:14*

## Hoy Dios te ofrece:
## LA RESURRECCIÓN

Jesús le dijo:

—Yo soy la resurrección y la vida. El que cree en mí, aunque muera, vivirá. Y todo aquel que vive y cree en mí no morirá para siempre. ¿Crees esto?

*Juan 11:25, 26*

Porque así como en Adán todos mueren, así también en Cristo todos serán vivificados.

*1 Corintios 15:22*

Tampoco queremos, hermanos, que ignoren acerca de los que duermen, para que no se entristezcan como los demás que no tienen esperanza. Porque si creemos que Jesús murió y resucitó, de la misma manera Dios traerá por medio de Jesús, y con él, a los que han dormido.

*1 Tesalonicenses 4:13, 14*

Anhelo conocerle a él y el poder de su resurrección, y participar en sus padecimientos, para ser semejante a él en su muerte; y de alguna manera, me encontraré en la resurrección de los muertos.

*Filipenses 3:10, 11*

Así también es la resurrección de los muertos. Se siembra en corrupción; se resucita en incorrupción. Se siembra en deshonra; se resucita con gloria. Se siembra en debilidad; se resucita con poder. Se siembra cuerpo natural; se resucita cuerpo espiritual. Hay cuerpo natural; también hay cuerpo espiritual. Así también está escrito: el primer hombre Adán llegó a ser un alma viviente; y el postrer Adán, espíritu vivificante. Pero lo espiritual no es primero, sino lo natural; luego lo espiritual. El primer hombre es de la tierra, terrenal; el segundo hombre es celestial. Como es el terrenal, así son también los terrenales; y como es el celestial, así son también los celestiales. Y así como hemos llevado la imagen del terrenal, llevaremos también la imagen del celestial. Y esto digo, hermanos, que la carne y la sangre no pueden heredar el reino de Dios, ni la corrupción heredar la incorrupción.

He aquí, les digo un misterio: No todos dormiremos, pero todos seremos transformados en un instante, en un abrir y cerrar de ojos, a la trompeta final. Porque sonará la trompeta, y los muertos serán resucitados sin corrupción; y nosotros seremos transformados. Porque es necesario que esto corruptible sea vestido de incorrupción, y que esto mortal sea vestido de inmortalidad. Y cuando esto corruptible se vista de incorrupción y esto mortal se vista de inmortalidad, entonces se cumplirá la palabra que está escrita: ¡Sorbida es la muerte en victoria! ¿Dónde está, oh muerte, tu victoria? ¿Dónde está, oh muerte, tu aguijón?

*1 Corintios 15:42-55*

Porque el amor de Cristo nos impulsa, considerando esto: que uno murió por todos; por consiguiente, todos murieron. Y él murió por todos para que los que viven ya no vivan más para sí sino para aquel que murió y resucitó por ellos.

*2 Corintios 5:14, 15*

## Hoy Dios te ofrece: UNA MORADA CELESTIAL

En la casa de mi Padre muchas moradas hay. De otra manera, se lo hubiera dicho. Voy, pues, a preparar lugar para ustedes.

*Juan 14:2*

Padre, quiero que donde yo esté, también estén conmigo aquellos que me has dado para que vean mi gloria que me has dado, porque me has amado desde antes de la fundación del mundo.

*Juan 17:24*

Porque nuestra ciudadanía está en los cielos, de donde también esperamos ardientemente al Salvador, el Señor Jesucristo. Él transformará nuestro cuerpo de humillación para que tenga la misma forma de su cuerpo de gloria, según la operación de su poder, para sujetar también a sí mismo todas las cosas.

*Filipenses 3:20, 21*

Después de esto miré, y he aquí una gran multitud de todas las naciones y razas y pueblos y lenguas, y nadie podía contar su número. Están de pie delante del trono y en la presencia del Cordero, vestidos con vestiduras blancas y llevando palmas en sus manos.

*Apocalipsis 7:9*

Vi un cielo nuevo y una tierra nueva; porque el primer cielo y la primera tierra pasaron, y el mar ya no existe más. Y yo vi la santa ciudad, la nueva Jerusalén que descendía del cielo de parte de Dios, preparada como una novia adornada para su esposo. Oí una gran voz que procedía del trono diciendo: "He aquí el tabernáculo de Dios está con los hombres, y él habitará con ellos; y ellos serán su pueblo, y Dios mismo estará con ellos como su Dios. Y Dios enjugará toda lágrima de los ojos de ellos. No habrá más muerte, ni habrá más llanto, ni clamor, ni dolor; porque las primeras cosas ya pasaron".

Vino uno de los siete ángeles que tenían las siete copas llenas de las siete últimas plagas, y habló conmigo diciendo: "Ven acá. Yo te mostraré la novia, la esposa del Cordero". Me llevó en el Espíritu sobre un monte grande y alto, y me mostró la santa ciudad de Jerusalén, que descendía del cielo de parte de Dios. Tenía la gloria de Dios, y su resplandor era semejante a la piedra más preciosa, como piedra de jaspe, resplandeciente como cristal. Tenía un muro grande y alto. Tenía doce puertas, y a las puertas había doce ángeles, y nombres inscritos que son los nombres de las doce tribus de los hijos de Israel. Tres puertas daban al este, tres puertas al norte, tres puertas al sur y tres puertas al oeste. El muro de la ciudad tenía doce fundamentos, y sobre ellos los doce nombres de los apóstoles del Cordero.

El que hablaba conmigo tenía una caña de medir, de oro, para medir la ciudad, sus puertas y su muro. La ciudad está dispuesta en forma cuadrangular. Su largo es igual a su ancho. Él midió la ciudad con la caña, y tenía dos mil doscientos kilómetros. El largo, el ancho y el alto son iguales. Midió su muro, setenta metros según medida de hombre, que es la del ángel. El material del muro era jaspe, y la ciudad era de oro puro semejante al vidrio limpio. Los cimientos del muro de la ciudad estaban adornados con toda piedra preciosa. El primer cimiento era de jaspe, el segundo de zafiro, el tercero de ágata, el cuarto de esmeralda, el quinto de ónice, el sexto de cornalina, el séptimo de crisólito, el octavo de berilo, el noveno de topacio, el décimo de crisoprasa, el undécimo de jacinto, el duodécimo de amatista. Las doce puertas eran doce perlas; cada puerta fue hecha de una sola perla. La plaza era de oro puro como vidrio transparente.

No vi en ella templo, porque el Señor Dios Todopoderoso, y el Cordero, es el templo de ella. La ciudad no tiene necesidad de sol ni de luna, para que resplandezcan en ella; porque la gloria de Dios la ilumina, y el Cordero es su lámpara. Las naciones andarán a la luz de ella, y los reyes de la tierra llevan a ella su gloria. Sus puertas nunca serán cerradas de día, pues allí no habrá noche. Y llevarán a ella la gloria y la honra de las naciones. Jamás entrará en ella cosa impura o que hace abominación y mentira, sino solamente los que están inscritos en el libro de la vida del Cordero.

Después me mostró un río de agua de vida, resplandeciente como cristal, que fluye del trono de Dios y del Cordero. En medio de la avenida de la ciudad, y a uno y otro lado del río, está el árbol de la vida, que produce doce frutos, dando cada mes su fruto. Las hojas del árbol son para la sanidad de las naciones.

Ya no habrá más maldición. Y el trono de Dios y del Cordero estará en ella, y sus siervos le rendirán culto. Verán su rostro, y su nombre estará en sus frentes. No habrá más noche, ni tienen necesidad de luz de lámpara, ni de luz del sol; porque el Señor Dios alumbrará sobre ellos, y reinarán por los siglos de los siglos.

*Apocalipsis 21:1-4, 9—22:5*

# II

## Hoy Dios ofrece ser:

1. Tu Padre celestial ........................ 53
2. Tu compañero constante .......... 56
3. Favorable a ti ............................. 58
4. Misericordioso contigo ............. 58
5. Tu refugio .................................. 62
6. La respuesta a tus oraciones .... 65

## Hoy Dios ofrece ser:
## TU PADRE CELESTIAL

Pero a todos los que le recibieron, a los que creen en su nombre, les dio derecho de ser hechos hijos de Dios, los cuales nacieron no de sangre ni de la voluntad de la carne ni de la voluntad de varón sino de Dios.

*Juan 1:12, 13*

Bienaventurados los que hacen la paz, porque ellos serán llamados hijos de Dios.

*Mateo 5:9*

Pero yo les digo: Amen a sus enemigos, y oren por los que les persiguen; de modo que sean hijos de su Padre que está en los cielos, porque él hace salir su sol sobre malos y buenos, y hace llover sobre justos e injustos.

*Mateo 5:44, 45*

Más bien, amen a sus enemigos y hagan bien y den prestado sin esperar ningún provecho. Entonces la recompensa de ustedes será grande y serán hijos del Altísimo; porque él es benigno para con los ingratos y los perversos.

*Lucas 6:35*

Entonces Jesús les dijo:

—Aún por un poco de tiempo está la luz entre ustedes. Anden mientras tienen la luz para que no les sorprendan las tinieblas. Porque el que anda en tinieblas no sabe a dónde va. Mientras tienen la luz crean en la luz para que sean hijos de luz.

*Juan 12:35, 36a*

Porque todos los que son guiados por el Espíritu de Dios, estos son hijos de Dios. Pues no recibieron el espíritu de esclavitud para estar otra vez bajo el temor sino que recibieron el espíritu de adopción como hijos, en el cual clamamos: "¡Abba, Padre!". El Espíritu mismo da testimonio juntamente con nuestro espíritu de que somos hijos de Dios.

*Romanos 8:14-16*

Porque la creación ha sido sujetada a la vanidad, no por su propia voluntad sino por causa de aquel que la sujetó, en esperanza de que aun la creación misma será librada de la esclavitud de la corrupción para entrar a la libertad gloriosa de los hijos de Dios. Porque sabemos que toda la creación gime a una, y a una sufre dolores de parto hasta ahora. Y no solo la creación sino también nosotros, que tenemos las primicias del Espíritu, gemimos dentro de nosotros mismos aguardando la adopción como hijos, la redención de nuestro cuerpo.

*Romanos 8:20-23*

Así que, todos son hijos de Dios por medio de la fe en Cristo Jesús porque todos los que fueron bautizados en Cristo se han revestido de Cristo.

*Gálatas 3:26, 27*

Pero cuando vino la plenitud del tiempo, Dios envió a su Hijo, nacido de mujer y nacido bajo la ley, para que redimiera a los que estaban bajo la ley a fin de que recibiéramos la adopción de hijos. Y por cuanto son hijos, Dios envió a nuestro corazón el Espíritu de su Hijo que clama: "Abba, Padre". Así que ya no eres más esclavo sino hijo; y si hijo, también eres heredero por medio de Dios.

*Gálatas 4:4-7*

En amor nos predestinó por medio de Jesucristo para adopción como hijos suyos, según el beneplácito de su voluntad, para la alabanza de la gloria de su gracia que nos dio gratuitamente en el Amado.

*Efesios 1:5, 6*

Hagan todo sin murmuraciones y contiendas, para que sean irreprensibles y sencillos, hijos de Dios sin mancha en medio de una generación torcida y perversa, en la cual ustedes resplandecen como luminares en el mundo, reteniendo la palabra de vida.

*Filipenses 2:14-16a*

¿Y ya han olvidado la exhortación que se les dirige como a hijos? Hijo mío, no tengas en poco la disciplina del Señor ni desmayes cuando seas reprendido por él.

Porque el Señor disciplina al que ama y castiga a todo el que recibe como hijo.

Permanezcan bajo la disciplina; Dios los está

tratando como a hijos. Porque, ¿qué hijo es aquel a quien su padre no disciplina? Pero si están sin la disciplina de la cual todos han sido participantes, entonces son ilegítimos, y no hijos.

*Hebreos 12:5-8*

Miren cuán grande amor nos ha dado el Padre para que seamos llamados hijos de Dios. ¡Y lo somos! Por esto el mundo no nos conoce, porque no le conoció a él. Amados, ahora somos hijos de Dios, y aún no se ha manifestado lo que seremos. Pero sabemos que, cuando él sea manifestado, seremos semejantes a él porque le veremos tal como él es.

*1 Juan 3:1, 2*

## Hoy Dios ofrece ser: TU COMPAÑERO CONSTANTE

Aunque mi padre y mi madre me dejen, con todo, el SEÑOR me recogerá.

*Salmo 27:10*

Además, él los confirmará hasta el fin, para que sean irreprensibles en el día de nuestro Señor Jesucristo. Fiel es Dios, por medio de quien fueron llamados a la comunión de su Hijo Jesucristo, nuestro Señor.

*1 Corintios 1:8, 9*

El día que yo clame a ti, mis enemigos retrocederán. Esto sé: que Dios está a mi lado. En Dios cuya palabra alabo, en el SEÑOR cuya palabra alabo, en Dios he confiado. No temeré lo que me pueda hacer el hombre.

*Salmo 56:9-11*

Por generación y generación es tu fidelidad; estableciste la tierra, y se mantiene firme.

*Salmo 119:90*

Los pobres y los necesitados buscan agua, y no la hay; su lengua se reseca de sed. Pero yo, el SEÑOR, les responderé; yo, el Dios de Israel, no los abandonaré.

*Isaías 41:17*

En ti confiarán los que conocen tu nombre pues tú, oh SEÑOR, no abandonaste a los que te buscaron.

*Salmo 9:10*

¿Acaso se olvidará la mujer de su bebé, y dejará de compadecerse del hijo de su vientre? Aunque ellas se olviden, yo no me olvidaré de ti.

*Isaías 49:15*

Tú, pues, sé partícipe de los sufrimientos como buen soldado de Cristo Jesús.

*2 Timoteo 2:13*

## Hoy Dios ofrece ser: FAVORABLE A TI

Porque su ira dura solo un momento pero su favor dura toda la vida. Por la noche dura el llanto pero al amanecer vendrá la alegría.

*Salmo 30:5*

El Señor no tarda su promesa, como algunos la tienen por tardanza; más bien, es paciente para con ustedes, porque no quiere que nadie se pierda, sino que todos procedan al arrepentimiento.

*2 Pedro 3:9*

Oh SEÑOR, has sido propicio a tu tierra, has restaurado a Jacob de la cautividad. Has perdonado la iniquidad de tu pueblo; has cubierto todos sus pecados. Has dejado todo tu enojo; has desistido del ardor de tu ira.

*Salmo 85:1-3*

Jesús les dijo:
—Yo soy el pan de vida. El que a mí viene nunca tendrá hambre, y el que en mí cree no tendrá sed jamás... Todo lo que el Padre me da vendrá a mí; y al que a mí viene jamás lo echaré fuera.

*Juan 6:35, 37*

## Hoy Dios ofrece ser: MISERICORDIOSO CONTIGO

Él es quien perdona todas tus iniquidades, el que

sana todas tus dolencias, el que rescata del hoyo tu vida, el que te corona de favores y de misericordia.

*Salmo 103:3, 4*

Pues como la altura de los cielos sobre la tierra, así ha engrandecido su misericordia sobre los que le temen.

*Salmo 103:11*

Por lo tanto, no depende del que quiere ni del que corre sino de Dios quien tiene misericordia.

*Romanos 9:16*

Porque seré misericordioso en cuanto a sus injusticias y jamás me acordaré de sus pecados.

*Hebreos 8:12*

Como el padre se compadece de los hijos, así se compadece el SEÑOR de los que le temen.

*Salmo 103:13*

Deje el impío su camino, y el hombre inicuo sus pensamientos. Vuélvase al SEÑOR, quien tendrá de él misericordia; y a nuestro Dios, quien será amplio en perdonar.

*Isaías 55:7*

Venga a mí tu misericordia, oh SEÑOR; y tu salvación, conforme a tu promesa.

*Salmo 119:41*

Por tanto, teniendo un gran sumo sacerdote que ha traspasado los cielos, Jesús el Hijo de Dios, retengamos nuestra confesión. Porque no tenemos un sumo sacerdote que no puede compadecerse de nuestras debilidades, pues él fue tentado en todo igual que nosotros pero sin pecado. Acerquémonos, pues, con confianza al trono de la gracia para que alcancemos misericordia y hallemos gracia para el oportuno socorro.

*Hebreos 4:14-16*

Me gozaré y alegraré en tu misericordia porque has visto mi aflicción. Has conocido mi alma en las angustias y no me entregaste en mano del enemigo. Hiciste que mis pies se posasen en lugar espacioso.

*Salmo 31:7, 8*

En las tinieblas resplandece la luz para los rectos; él es clemente, misericordioso y justo.

*Salmo 112:4*

Como el padre se compadece de los hijos, así se compadece el SEÑOR de los que le temen. Porque él conoce nuestra condición; se acuerda de que somos polvo.

*Salmo 103:13, 14*

¡Den gracias al SEÑOR por su misericordia y por sus maravillas para con los hijos del hombre! Porque él sacia al alma sedienta y llena de bien al alma hambrienta.

*Salmo 107:8, 9*

Por la bondad del SEÑOR es que no somos consumidos, porque nunca decaen sus misericordias. Nuevas son cada mañana; grande es tu fidelidad. "El SEÑOR es mi porción", ha dicho mi alma; "por eso, en él esperaré".

*Lamentaciones 3:22-24*

En el día que yo preparo, ha dicho el SEÑOR de los Ejércitos, ellos serán para mí un especial tesoro. Seré compasivo con ellos, como es compasivo el hombre con su hijo que le sirve.

*Malaquías 3:17*

Pero no retiraré de él mi misericordia, ni falsearé mi fidelidad.

*Salmo 89:33*

Aunque los montes se debiliten y las colinas se derrumben, mi misericordia no se apartará de ti. Mi pacto de paz será inconmovible, ha dicho el SEÑOR, quien tiene compasión de ti.

*Isaías 54:10*

Pero la misericordia del SEÑOR es desde la eternidad y hasta la eternidad sobre los que le temen; y su justicia sobre los hijos de sus hijos.

*Salmo 103:17*

El SEÑOR cumplirá su propósito en mí. Oh SEÑOR, tu misericordia es para siempre; no desampares la obra de tus manos.

*Salmo 138:8*

## Hoy Dios ofrece ser:
## TU REFUGIO

El SEÑOR será un alto refugio para el oprimido, un refugio en los tiempos de angustia.

*Salmo 9:9*

Solo en Dios reposa mi alma; de él proviene mi salvación. Solo él es mi roca y mi salvación; él es mi refugio; no seré grandemente movido.

*Salmo 62:1, 2*

¡Cuán grande es la bondad que has guardado para los que te temen, que has obrado para los que en ti se refugian contra los hijos del hombre! En el refugio de tu presencia los esconderás de la conspiración del hombre. En un tabernáculo los guardarás de las contiendas de la lengua.

*Salmo 31:19, 20*

El que habita al abrigo del Altísimo morará bajo la sombra del Todopoderoso. Diré yo al SEÑOR: "¡Refugio mío y castillo mío, mi Dios en quien confío!".

Porque él te librará de la trampa del cazador y de la peste destructora. Con sus plumas te cubrirá, y debajo de sus alas te refugiarás; escudo y defensa es su verdad.

No tendrás temor de espanto nocturno ni de flecha que vuele de día ni de peste que ande en la oscuridad ni de plaga que en pleno día destruya.

Caerán a tu lado mil y diez mil a tu mano derecha pero a ti no llegará.

Ciertamente con tus ojos mirarás y verás la recompensa de los impíos.

Porque al SEÑOR, que es mi refugio, al Altísimo, has puesto como tu morada, no te sobrevendrá mal ni la plaga se acercará a tu tienda.

Pues a sus ángeles dará órdenes acerca de ti para que te guarden en todos tus caminos. En sus manos te llevarán de modo que tu pie no tropiece en piedra.

Sobre el león y la cobra pisarás; hollarás al leoncillo y a la serpiente.

"Porque en mí ha puesto su amor, yo lo libraré; lo pondré en alto, por cuanto ha conocido mi nombre.

Él me invocará, y yo le responderé; con él estaré en la angustia. Lo libraré y lo glorificaré; lo saciaré de larga vida y le mostraré mi salvación".

*Salmo 91*

Porque tú me has sido refugio y torre fortificada delante del enemigo. Que yo habite en tu tabernáculo para siempre y me refugie al amparo de tus alas.

*Salmo 61:3, 4*

Perfecto es el camino de Dios; probada es la palabra del SEÑOR. Él es escudo a todos los que en él se refugian.

*Salmo 18:30*

Tú eres mi refugio; me guardarás de la angustia y con cánticos de liberación me rodearás.

*Salmo 32:7*

A ti clamo, oh SEÑOR. Digo: "Tú eres mi refugio y mi porción en la tierra de los vivientes".

*Salmo 142:5*

Te amo, oh SEÑOR, fuerza mía. El SEÑOR es mi roca, mi fortaleza y mi libertador. Mi Dios es mi peña; en él me refugiaré. Él es mi escudo, el poder de mi liberación y mi baluarte.

*Salmo 18:1, 2*

Dios es mi salvación y mi gloria; en Dios está la roca de mi fortaleza y mi refugio. Oh pueblos, esperen en él en todo tiempo; derramen delante de él su corazón porque Dios es nuestro refugio.

*Salmo 62:7, 8*

Señor, tú has sido nuestro refugio de generación en generación.

*Salmo 90:1*

¡Bueno es el SEÑOR! Es una fortaleza en el día de la angustia, y conoce a los que en él se refugian.

*Nahúm 1:7*

## Hoy Dios ofrece ser:
## LA RESPUESTA A TUS ORACIONES

Porque los ojos del Señor están sobre los justos, y sus oídos están atentos a sus oraciones. Pero el rostro del Señor está contra aquellos que hacen el mal.

*1 Pedro 3:12*

Y esta es la confianza que tenemos delante de él: que si pedimos algo conforme a su voluntad, él nos oye.

*1 Juan 5:14*

Clama a mí, y te responderé; y te revelaré cosas grandes e inaccesibles que tú no conoces.

*Jeremías 33:3*

Los ojos del SEÑOR están sobre los justos; sus oídos están atentos a su clamor.

*Salmo 34:15*

Clamaron los justos, y el SEÑOR los oyó; los libró de todas sus angustias.

*Salmo 34:17*

Cercano está el SEÑOR a todos los que le invocan, a todos los que le invocan de verdad. Cumplirá el deseo de los que le temen. Asimismo, oirá el clamor de ellos y los salvará.

*Salmo 145:18, 19*

Al SEÑOR invoqué desde la angustia, y el SEÑOR me respondió poniéndome en lugar espacioso.

*Salmo 118:15*

Pero tú, cuando ores, entra en tu habitación, cierra la puerta y ora a tu Padre que está en secreto; y tu Padre que ve en secreto te recompensará. Y al orar, no usen vanas repeticiones, como los gentiles, que piensan que serán oídos por su palabrería. Por tanto, no se hagan semejantes a ellos, porque el Padre de ustedes sabe de qué cosas tienen necesidad antes que ustedes le pidan.

*Mateo 6:6-8*

Pidan, y se les dará. Busquen y hallarán. Llamen, y se les abrirá. Porque todo el que pide recibe, el que busca halla, y al que llama se le abrirá. ¿Qué hombre hay entre ustedes que, al hijo que le pide pan, le dará una piedra? ¿O al que le pide pescado, le dará una serpiente? Pues si ustedes, siendo malos, saben dar cosas buenas a sus hijos, ¿cuánto más su Padre que está en los cielos dará cosas buenas a los que le piden?

*Mateo 7:7-11*

Lejos está el SEÑOR de los impíos, pero escucha la oración de los justos.

*Proverbios 15:29*

Orarás a él, y él te escuchará; y podrás pagar tus votos.

*Job 22:27*

Y cualquier cosa que pidamos la recibiremos de él porque guardamos sus mandamientos y hacemos las cosas que son agradables delante de él.

*1 Juan 3:22*

Él me invocará, y yo le responderé; con él estaré en la angustia. Lo libraré y lo glorificaré.

*Salmo 91:15*

Los ojos del SEÑOR están sobre los justos; sus oídos están atentos a su clamor. El rostro del SEÑOR está contra los que hacen mal para cortar de la tierra su memoria. Clamaron los justos, y el SEÑOR los oyó; los libró de todas sus angustias.

*Salmo 34:15-17*

Me buscarán y me hallarán, porque me buscarán con todo su corazón.

*Jeremías 29:13*

Todo lo que pidan en oración, creyendo, lo recibirán.

*Mateo 21:22*

Deléitate en el SEÑOR y él te concederá los anhelos de tu corazón.

*Salmo 37:4*

Porque el SEÑOR escucha a los necesitados y no menosprecia a sus prisioneros.

*Salmo 69:33*

Al anochecer, al amanecer y al mediodía oraré y clamaré; y él oirá mi voz.

*Salmo 55:17*

Acerquémonos, pues, con confianza al trono de la gracia para que alcancemos misericordia y hallemos gracia para el oportuno socorro.

*Hebreos 4:16*

Por esta razón les digo que todo por lo cual oran y piden, crean que lo han recibido y les será hecho.

*Marcos 11:24*

Y todo lo que pidan en mi nombre, eso haré para que el Padre sea glorificado en el Hijo. Si me piden alguna cosa en mi nombre, yo la haré.

*Juan 14:13, 14*

Si permanecen en mí y mis palabras permanecen en ustedes, pidan lo que quieran y les será hecho.

*Juan 15:7*

# III
## Promesas de Dios cuando te sientas


1. Preocupado .......... 71
2. Afligido .......... 72
3. Desalentado .......... 75
4. Enfermo .......... 77
5. Insatisfecho .......... 80
6. Cansado .......... 85
7. Desesperado .......... 86
8. Triste .......... 90

## Promesas de Dios cuando te sientas: PREOCUPADO

"Por tanto, no se afanen diciendo: '¿Qué comeremos?' o '¿Qué beberemos?' o '¿Con qué nos cubriremos?'. Porque los gentiles buscan todas estas cosas, pero su Padre que está en los cielos sabe que tienen necesidad de todas estas cosas. Más bien, busquen primeramente el reino de Dios y su justicia, y todas estas cosas les serán añadidas. Así que, no se afanen por el día de mañana, porque el día de mañana traerá su propio afán. Basta a cada día su propio mal".

*Mateo 6:31-34*

Por nada estén afanosos; más bien, presenten sus peticiones delante de Dios en toda oración y ruego, con acción de gracias.

*Filipenses 4:6*

En la oscuridad deambula el hombre; de veras, en vano se inquieta por acumular, y no sabe quién lo recogerá.

*Salmo 39:6*

No te afanes por hacerte rico; sé prudente y desiste. ¿Has de hacer volar tus ojos tras las riquezas, siendo estas nada? Porque ciertamente se harán alas como de águilas y volarán al cielo.

*Proverbios 23:4, 5*

"¡Pobrecita, fatigada por la tempestad y sin consuelo! He aquí que yo asentaré tus piedras sobre turquesas y pondré tus cimientos sobre zafiros. Haré tus almenas de rubíes y tus puertas de berilo; y todo tu muro alrededor, de piedras preciosas.

*Isaías 54:11, 12*

## Promesas de Dios cuando te sientas: AFLIGIDO

Me gozaré y alegraré en tu misericordia porque has visto mi aflicción. Has conocido mi alma en las angustias y no me entregaste en mano del enemigo. Hiciste que mis pies se posasen en lugar espacioso.

*Salmo 31:7, 8*

Mis ojos están siempre puestos en el SEÑOR porque él sacará mis pies de la red. Mírame y ten misericordia de mí porque estoy solitario y afligido. Las angustias de mi corazón se han aumentado; sácame de mis congojas. Mira mi aflicción y mis afanes; perdona todos mis pecados.

*Salmo 25:15-18*

Alégranos conforme a los días de nuestra aflicción y a los años en que hemos visto el mal. Sea manifestada tu obra a tus siervos y tu esplendor sobre sus hijos.

*Salmo 90:15, 16*

Esto es mi consuelo en mi aflicción: que tu palabra me ha vivificado. Mucho se han burlado de mí los arrogantes pero yo no me he apartado de tu ley.

*Salmo 119:50, 51*

Porque esto es aceptable: si alguien soporta aflicción y padece injustamente por tener conciencia de Dios. Porque, ¿qué de notable hay si, cuando cometen pecado y son abofeteados, lo soportan? Pero si lo soportan cuando hacen el bien y son afligidos, esto sí es aceptable delante de Dios. Pues para esto fueron llamados, porque también Cristo sufrió por ustedes, dejándoles ejemplo para que sigan sus pisadas.

*1 Pedro 2:19-21*

Amados, no se sorprendan por el fuego que arde entre ustedes para ponerlos a prueba, como si les aconteciera cosa extraña. Antes bien, gócense a medida que participan de las aflicciones de Cristo, para que también en la revelación de su gloria se gocen con regocijo. Cuando son injuriados en el nombre de Cristo, son bienaventurados; porque el glorioso Espíritu de Dios reposa sobre ustedes.

*1 Pedro 4:12-14*

Pero si alguno padece como cristiano, no se avergüence; más bien, glorifique a Dios en este nombre.

*1 Pedro 4:16*

Griten de júbilo, oh cielos! ¡Regocíjate, oh tierra! ¡Prorrumpan en cántico, oh montes! Porque el SEÑOR ha consolado a su pueblo y de sus afligidos tendrá misericordia.

*Isaías 49:13*

Acuérdate de mi aflicción y de mi desamparo, del ajenjo y de la amargura. Lo recordará, ciertamente, mi alma y será abatida dentro de mí. Esto haré volver a mi corazón, por lo cual tendré esperanza.

*Lamentaciones 3:19-21*

Oh SEÑOR, fuerza mía y fortaleza mía, mi refugio en el tiempo de la aflicción: A ti vendrán las naciones desde los extremos de la tierra y dirán: "Ciertamente nuestros padres heredaron mentira, vanidad en la que no hay provecho".

*Jeremías 16:19*

Les he hablado de estas cosas para que en mí tengan paz. En el mundo tendrán aflicción, pero ¡tengan valor; yo he vencido al mundo!

*Juan 16:33*

Pero tú, sé sobrio en todo, soporta las aflicciones, haz obra de evangelista; cumple tu ministerio.

*2 Timoteo 4:5*

Oí una gran voz que procedía del trono diciendo: "He aquí el tabernáculo de Dios está con los hombres, y él habitará con ellos; y ellos serán su pueblo, y Dios mismo estará con ellos como su Dios. Y Dios enjugará toda lágrima de los ojos de ellos. No habrá más muerte, ni habrá más llanto, ni clamor, ni dolor; porque las primeras cosas ya pasaron".

*Apocalipsis 21:3, 4*

Porque considero que los padecimientos del tiempo presente no son dignos de comparar con la gloria que pronto nos ha de ser revelada. Pues la creación aguarda con ardiente anhelo la manifestación de los hijos de Dios.

*Romanos 8:18, 19*

Porque de la manera que abundan a favor nuestro las aflicciones de Cristo, así abunda también nuestra consolación por el mismo Cristo.

*2 Corintios 1:5*

Hermanos, tomen por ejemplo de aflicción y de paciencia a los profetas que hablaron en el nombre del Señor.

*Santiago 5:10*

## Promesas de Dios cuando te sientas: DESALENTADO

¡Esfuércense y sean valientes! No tengan temor ni se aterroricen de ellos, porque el SEÑOR tu Dios va contigo. Él no te abandonará ni te desamparará.

*Deuteronomio 31:6*

No temas, porque yo estoy contigo. No tengas miedo, porque yo soy tu Dios. Te fortaleceré, y también te ayudaré. También te sustentaré con la diestra de mi justicia.

*Isaías 41:10*

Esfuércense, todos ustedes los que esperan en el SEÑOR, y tome aliento su corazón.

*Salmo 31:24*

Espera en el SEÑOR. Esfuérzate y aliéntese tu corazón. ¡Sí, espera en el SEÑOR!

*Salmo 27:14*

Fortalezcan las manos débiles; afirmen las rodillas vacilantes. Digan a los de corazón apocado: "¡Fortalézcanse; no teman! He aquí que su Dios viene con venganza y retribución divina. Él mismo vendrá y los salvará".

*Isaías 35:3, 4*

Para proveer a los que están de duelo por Sion y para darles diadema en lugar de ceniza, aceite de regocijo en lugar de luto y manto de alabanza en lugar de espíritu desalentado. Ellos serán llamados robles de justicia, plantío del SEÑOR, para manifestar su gloria.

*Isaías 61:3*

¿No te he mandado que te esfuerces y seas valiente? No temas ni desmayes, porque el SEÑOR tu Dios estará contigo dondequiera que vayas.

*Josué 1:9*

No nos cansemos, pues, de hacer el bien porque a su tiempo cosecharemos, si no desmayamos.

*Gálatas 6:9*

Y les digo a ustedes, mis amigos: No teman a los que matan el cuerpo y después no tienen nada peor que hacer. Pero yo les enseñaré a quién deben temer: Teman a aquel que, después de haber dado muerte, tiene poder de echar en el infierno. Sí, les digo, a este teman.

*Lucas 12:4, 5*

El Señor me librará de toda obra mala y me preservará para su reino celestial. A él sea la gloria por los siglos de los siglos. Amén.

*2 Timoteo 4:18*

Porque hemos llegado a ser participantes de Cristo, si de veras retenemos el principio de nuestra confianza hasta el fin.

*Hebreos 3:14*

## Promesas de Dios cuando te sientas: ENFERMO

Ten misericordia de mí, oh SEÑOR, porque desfallezco. Sáname, oh SEÑOR, porque mis huesos están abatidos.

*Salmo 6:2*

Oh SEÑOR, Dios mío, a ti clamé y me sanaste. Oh SEÑOR, tú has hecho subir mi alma del Seol; desde la fosa me has vuelto a la vida.

*Salmo 30:2, 3*

Pero cuando en su angustia clamaron al SEÑOR, él los libró de sus aflicciones. Envió su palabra y los sanó; los libró de su ruina.

*Salmo 107:19, 20*

Bendice, oh alma mía, al SEÑOR. Bendiga todo mi ser su santo nombre. Bendice, oh alma mía, al SEÑOR y no olvides ninguno de sus beneficios. Él es quien perdona todas tus iniquidades, el que sana todas tus dolencias, el que rescata del hoyo tu vida, el que te corona de favores y de misericordia, el que sacia con bien tus anhelos de modo que te rejuvenezcas como el águila.

*Salmo 103:1-5*

Hijo mío, pon atención a mis palabras; inclina tu oído a mis dichos. No se aparten de tus ojos; guárdalos en medio de tu corazón. Porque ellos son vida a los que los hallan y medicina para todo su cuerpo.

*Proverbios 4:20-22*

Jesús recorría todas las ciudades y las aldeas, enseñando en sus sinagogas, predicando el evangelio del reino y sanando toda enfermedad y toda dolencia.

*Mateo 9:35*

Pero, al saberlo, las multitudes le siguieron; y él los recibió y les hablaba del reino de Dios y sanaba a los que tenían necesidad de ser sanados.

*Lucas 9:11*

Porque yo te traeré sanidad y curaré tus heridas, dice el SEÑOR; pues te han llamado Desechada diciendo: "Esta es Sion, a quien nadie busca".

*Jeremías 30:17*

Y toda la gente procuraba tocarlo; porque salía poder de él y sanaba a todos.

*Lucas 6:19*

Yo soy el que crea fruto de labios: ¡Paz, paz para el que está lejos y para el que está cerca!, dice el SEÑOR. Yo lo sanaré. Pero los impíos son como el mar agitado que no puede estar quieto y cuyas aguas arrojan cieno y lodo. "¡No hay paz para los malos!", dice mi Dios.

*Isaías 57:19-21*

Sáname, oh SEÑOR, y seré sano. Sálvame, y seré salvo; porque tú eres mi alabanza.

*Jeremías 17:4*

¿Está enfermo alguno de ustedes? Que llame a los ancianos de la iglesia y que oren por él, ungiéndole con aceite en el nombre del Señor. Y la oración de fe dará salud al enfermo, y el Señor lo levantará. Y si ha cometido pecados le serán perdonados.

*Santiago 5:14*

Amado, mi oración es que seas prosperado en todas las cosas y que tengas salud, así como prospera tu alma.

*3 Juan 2*

## Promesas de Dios cuando te sientas: INSATISFECHO

Él te amará, te bendecirá y te multiplicará. También bendecirá el fruto de tu vientre y el fruto de tu tierra, tu grano y tu vino nuevo y tu aceite, la cría de tus vacas y el aumento de tus ovejas, en la tierra que juró a tus padres que te daría.

*Deuteronomio 7:13*

¡Den gracias al SEÑOR por su misericordia y por sus maravillas para con los hijos del hombre! Porque él sacia al alma sedienta y llena de bien al alma hambrienta.

*Salmo 107:8, 9*

Los leones tienen necesidades y sufren hambre, pero los que buscan al SEÑOR no tendrán falta de ningún bien.

*Salmo 34:10*

Por eso te bendeciré en mi vida y en tu nombre alzaré mis manos. Como de sebo y de gordura se saciará mi alma; mi boca te alabará con labios de júbilo.

*Salmo 63:4, 5*

Él es quien perdona todas tus iniquidades, el que sana todas tus dolencias, el que rescata del hoyo tu vida, el que te corona de favores y de misericordia, el que sacia con bien tus anhelos de modo que te rejuvenezcas como el águila.

*Salmo 103:3-5*

Porque el necesitado no será olvidado para siempre ni la esperanza de los pobres perecerá eternamente.

*Salmo 9:18*

Deléitate en el SEÑOR y él te concederá los anhelos de tu corazón.

*Salmo 37:4*

En prados de tiernos pastos me hace descansar. Junto a aguas tranquilas me conduce. Confortará mi alma y me guiará por sendas de justicia por amor de su nombre.

*Salmo 23:2, 3*

Los ojos de todos tienen su esperanza puesta en ti y tú les das su comida a su debido tiempo. Abres tu mano y satisfaces el deseo de todo ser viviente.

*Salmo 145:15, 16*

Pero yo soy un gusano y no un hombre, objeto de la afrenta de los hombres y despreciado del pueblo.

*Salmo 22:6*

Yo he sido joven y he envejecido; pero no he visto a un justo desamparado ni a sus descendientes mendigando pan.

*Salmo 37:25*

Da alimento a los que le temen; para siempre se acordará de su pacto.

*Salmo 111:5*

Porque sol y escudo es el SEÑOR Dios; gracia y gloria dará el SEÑOR. No privará del bien a los que andan en integridad.

*Salmo 84:11*

Él da alimento a toda criatura: ¡Porque para siempre es su misericordia!

*Salmo 136:25*

Porque yo derramaré aguas sobre el suelo sediento, y torrentes sobre la tierra seca. Derramaré mi Espíritu sobre tus descendientes, y mi bendición sobre tus vástagos.

*Isaías 44:3*

"Oh, todos los sedientos, ¡vengan a las aguas! Y los que no tienen dinero, ¡vengan, compren y coman! Vengan, compren sin dinero y sin precio, vino y leche. ¿Por qué gastan el dinero en lo que no es pan, y su trabajo en lo que no satisface? Óiganme atentamente y coman del bien, y su alma se deleitará con manjares.

*Isaías 55:1, 2*

Comerán hasta saciarse y alabarán el nombre del SEÑOR su Dios, quien ha hecho maravillas con ustedes. Y nunca más será avergonzado mi pueblo.

*Joel 2:22*

Si tu alma provee para el hambriento y sacias al alma humillada, tu luz irradiará en las tinieblas, y tu oscuridad será como el mediodía. El SEÑOR te guiará siempre y saciará tu alma en medio de los sequedales. Él fortalecerá tus huesos, y serás como un jardín de regadío y como un manantial de aguas cuyas aguas nunca faltan.

*Isaías 58:10*

Colmaré de abundancia el alma del sacerdote, y mi pueblo se saciará de mi bondad", dice el SEÑOR.

*Jeremías 31:14*

El SEÑOR respondió a su pueblo diciendo: "He aquí, yo les envío granos, vino nuevo y aceite; y serán saciados. Nunca más les entregaré como afrenta en medio de las naciones.

*Joel 2:19*

"Traigan todo el diezmo al tesoro, y haya alimento en mi casa. Pruébenme en esto, ha dicho el SEÑOR de los Ejércitos, si no les abriré las ventanas de los cielos y vaciaré sobre ustedes bendición hasta que sobreabunde.

*Malaquías 3:10*

El que no eximió ni a su propio Hijo sino que lo entregó por todos nosotros, ¿cómo no nos dará gratuitamente también con él todas las cosas?

*Romanos 8:32*

Por tanto les digo: No se afanen por su vida, qué han de comer o qué han de beber; ni por su cuerpo, qué han de vestir. ¿No es la vida más que el alimento, y el cuerpo más que el vestido? Miren las aves del cielo, que no siembran, ni siegan, ni recogen en graneros; y su Padre celestial las alimenta. ¿No son ustedes de mucho más valor que ellas? ¿Quién de ustedes podrá, por más que se afane, añadir a su estatura un milímetro? ¿Por qué se afanan por el vestido? Miren los lirios del campo, cómo crecen. Ellos no trabajan ni hilan; pero les digo que ni aun Salomón, con toda su gloria, fue vestido como uno de ellos. Si Dios viste así la hierba del campo, que hoy está y mañana es echada en el horno, ¿no hará mucho más por ustedes, hombres de poca fe?

"Por tanto, no se afanen diciendo: '¿Qué comeremos?' o '¿Qué beberemos?' o '¿Con qué nos cubriremos?'. Porque los gentiles buscan todas estas cosas, pero su Padre que está en los cielos sabe que tienen necesidad de todas estas cosas. Más bien, busquen primeramente el reino de Dios y su justicia, y todas estas cosas les serán añadidas. Así que, no se afanen por el día de mañana, porque el día de mañana traerá su propio afán. Basta a cada día su propio mal.

*Mateo 6:25-34*

Jesús les dijo:

—Yo soy el pan de vida. El que a mí viene nunca tendrá hambre, y el que en mí cree no tendrá sed jamás.

*Juan 6:35*

Bendito sea el Dios y Padre de nuestro Señor Jesucristo, quien nos ha bendecido en Cristo con toda bendición espiritual en los lugares celestiales.

*Efesios 1:3*

Así que nadie se gloríe en los hombres; pues todo es de ustedes —sea Pablo, sea Apolos, sea Pedro, sea el mundo, sea la vida, sea la muerte, sea lo presente, sea lo porvenir—, todo es de ustedes, y ustedes de Cristo, y Cristo de Dios.

*1 Corintios 3:21-23*

Mi Dios, pues, suplirá toda necesidad de ustedes conforme a sus riquezas en gloria en Cristo Jesús.

*Filipenses 4:19*

Y ustedes están completos en él, quien es la cabeza de todo principado y autoridad.

*Colosenses 2:10*

Amado, mi oración es que seas prosperado en todas las cosas y que tengas salud, así como prospera tu alma.

*3 Juan 2*

Su divino poder nos ha concedido todas las cosas que pertenecen a la vida y a la piedad por medio del conocimiento de aquel que nos llamó por su propia gloria y excelencia.

*2 Pedro 1:3*

## Promesas de Dios cuando te sientas: CANSADO

Vengan a mí, todos los que están fatigados y cargados, y yo los haré descansar. Lleven mi yugo sobre ustedes, y aprendan de mí, que soy manso y humilde de corazón; y hallarán descanso para su alma. Porque mi yugo es fácil, y ligera mi carga.

*Mateo 11:28-30*

Por tanto, queda todavía un reposo sabático para el pueblo de Dios. El que ha entrado en su reposo, también ha reposado de sus obras, así como Dios de las suyas.

*Hebreos 4:9, 10*

Echa tu carga sobre el SEÑOR, y él te sostendrá. Jamás dejará caído al justo.

*Salmo 55:22*

## Promesas de Dios cuando te sientas: DESESPERADO

Y la esperanza no acarrea vergüenza porque el amor de Dios ha sido derramado en nuestros corazones por el Espíritu Santo que nos ha sido dado; porque, aún siendo nosotros débiles, a su tiempo Cristo murió por los impíos.

*Romanos 5:5, 6*

Pues lo que fue escrito anteriormente fue escrito para nuestra enseñanza a fin de que, por la perseverancia y la exhortación de las Escrituras, tengamos esperanza.

*Romanos 15:4*

Estamos atribulados en todo pero no angustiados; perplejos pero no desesperados; perseguidos pero no desamparados; abatidos pero no destruidos. Siempre llevamos en el cuerpo la muerte de Jesús por todas partes para que también en nuestro cuerpo se manifieste la vida de Jesús.

*2 Corintios 4:8-10*

Porque nuestra momentánea y leve tribulación produce para nosotros un eterno peso de gloria más que incomparable; no fijando nosotros la vista en las cosas que se ven sino en las que no se ven; porque las que se ven son temporales, mientras que las que no se ven son eternas.

*2 Corintios 4:17, 18*

Pido que el Dios de nuestro Señor Jesucristo, el Padre de gloria, les dé espíritu de sabiduría y de revelación en el pleno conocimiento de él; habiendo sido iluminados los ojos de su entendimiento para que conozcan cuál es la esperanza a la que los ha llamado, cuáles las riquezas de la gloria de su herencia en los santos, y cuál la inmensurable grandeza de su poder para con nosotros los que creemos, conforme a la operación del dominio de su fuerza.

*Efesios 1:17-19*

Bendito sea el Dios y Padre de nuestro Señor Jesucristo, quien según su grande misericordia nos ha hecho nacer de nuevo para una esperanza viva por medio de la resurrección de Jesucristo de entre los muertos; para una herencia incorruptible, incontaminable e inmarchitable, reservada en los cielos para ustedes que son guardados por el poder de Dios mediante la fe, para la salvación preparada para ser revelada en el tiempo final.

*1 Pedro 1:3-5*

Tenemos la esperanza como ancla de la vida, segura y firme, y que penetra aun dentro del velo donde entró Jesús por nosotros como precursor, hecho sumo sacerdote para siempre según el orden de Melquisedec.

*Hebreos 6:19, 20*

Espera en el SEÑOR. Esfuérzate y aliéntese tu corazón. ¡Sí, espera en el SEÑOR!

*Salmo 27:14*

¿Por qué te abates, oh alma mía, y por qué te turbas dentro de mí? Espera a Dios, porque aún le he de alabar. ¡Él es la salvación de mi ser, y mi Dios!

*Salmo 43:5*

Acuérdate de la promesa dada a tu siervo en la cual me has hecho esperar. Esto es mi consuelo en mi aflicción: que tu palabra me ha vivificado.

*Salmo 119:49, 50*

Porque ciertamente hay un porvenir, y tu esperanza no será frustrada.

*Proverbios 23:18*

Yo espero en el SEÑOR; mi alma espera. En su palabra he puesto mi esperanza. Mi alma espera al SEÑOR más que los centinelas a la mañana; sí, más que los centinelas a la mañana.

*Salmo 130:5, 6*

Los ojos de todos tienen su esperanza puesta en ti y tú les das su comida a su debido tiempo.

*Salmo 145:15*

Pero ustedes tendrán una canción, como la noche en que se celebra una fiesta sagrada. Tendrán alegría de corazón, como el que, al son de la flauta, viene al monte del SEÑOR, a la Roca de Israel.

*Isaías 30:29*

Los rescatados del SEÑOR volverán y entrarán en Sion con cánticos. Y sobre sus cabezas habrá alegría perpetua. Alcanzarán gozo y alegría, y huirán la tristeza y el gemido.

*Isaías 51:11*

Ciertamente, con alegría saldrán y en paz se irán. Los montes y las colinas irrumpirán en cánticos delante de ustedes, y todos los árboles del campo aplaudirán.

*Isaías 55:12*

Para proveer a los que están de duelo por Sion y para darles diadema en lugar de ceniza, aceite de regocijo en lugar de luto y manto de alabanza en lugar de espíritu desalentado. Ellos serán llamados robles de justicia, plantío del SEÑOR, para manifestar su gloria.

*Isaías 61:3*

Vúelvanse a la fortaleza, oh prisioneros llenos de esperanza. También hoy les anuncio que les restituiré el doble.

*Zacarías 9:12*

## Promesas de Dios cuando te sientas: TRISTE

Bienaventurados son cuando los vituperen y los persigan, y digan toda clase de mal contra ustedes por mi causa, mintiendo. Gócense y alégrense, porque su recompensa es grande en los cielos; pues así persiguieron a los profetas que fueron antes de ustedes.

*Mateo 5:11, 12*

¡Regocíjense en el Señor siempre! Otra vez lo digo: ¡Regocíjense! Su amabilidad sea conocida por todos los hombres. ¡El Señor está cerca!

*Filipenses 4:4*

A él le aman, sin haberle visto. En él creen; y aunque no lo vean ahora, creyendo en él se alegran con gozo inefable y glorioso.

*1 Pedro 1:8*

Estas cosas les he hablado para que mi gozo esté en ustedes y su gozo sea completo.

*Juan 15:11*

Hasta ahora no han pedido nada en mi nombre. Pidan y recibirán, para que su gozo sea completo.

*Juan 16:24*

Y esta es la vida eterna: que te conozcan a ti, el único Dios verdadero, y a Jesucristo a quien tú has enviado.

*Juan 17:3*

Me has hecho conocer los caminos de la vida y me llenarás de alegría con tu presencia.

*Hechos 2:28*

Que el Dios de esperanza los llene de todo gozo y paz en el creer, para que abunden en la esperanza por el poder del Espíritu Santo.

*Romanos 15:13*

Pero el fruto del Espíritu es: amor, gozo, paz, paciencia, benignidad, bondad, fe, mansedumbre y dominio propio. Contra tales cosas no hay ley.

*Gálatas 5:22, 23*

Estas cosas escribimos nosotros para que nuestro gozo sea completo.

*1 Juan 1:4*

Amados, no se sorprendan por el fuego que arde entre ustedes para ponerlos a prueba, como si les aconteciera cosa extraña. Antes bien, gócense a medida que participan de las aflicciones de Cristo, para que también en la revelación de su gloria se gocen con regocijo.

*1 Pedro 4:12, 13*

Luego les dijo:

—Vayan, coman ricos manjares, beban bebidas dulces y envíen porciones a los que no tienen nada preparado, porque este es un día santo para nuestro Señor. No se entristezcan porque el gozo del SEÑOR es su fortaleza.

*Nehemías 8:10*

Me mostrarás la senda de la vida. En tu presencia hay plenitud de gozo, delicias en tu diestra para siempre.

*Salmo 16:11*

Los preceptos del SEÑOR son rectos; alegran el corazón. El mandamiento del SEÑOR es puro; alumbra los ojos.

*Salmo 19:8*

Porque su ira dura solo un momento pero su favor dura toda la vida. Por la noche dura el llanto pero al amanecer vendrá la alegría.

*Salmo 30:5*

Por eso, nuestro corazón se alegra en él, porque en su santo nombre hemos confiado.

*Salmo 33:21*

La luz está sembrada para el justo, la alegría para los rectos de corazón. Alégrense, oh justos, en el SEÑOR; celebren la memoria de su santidad.

*Salmo 97:11, 12*

Los que siembran con lágrimas, con regocijo segarán. El que va llorando, llevando la bolsa de semilla, volverá con regocijo trayendo sus gavillas.

*Salmo 126:5, 6*

El corazón alegre hermosea la cara, pero por el dolor del corazón el espíritu se abate.

*Proverbios 15:13*

Entonces los humildes volverán a alegrarse en el SEÑOR, y los más necesitados de los hombres se regocijarán en el Santo de Israel.

*Isaías 29:19*

Fueron halladas tus palabras, y yo las comí. Tus palabras fueron para mí el gozo y la alegría de mi corazón; porque yo soy llamado por tu nombre, oh SEÑOR Dios de los Ejércitos.

*Jeremías 15:16*

# IV

## Promesas para el vivir de hoy cuando experimentes:

1. Conflictos interpersonales ...... 97
2. Persecución ................................ 97
3. Necesidad .................................. 98
4. Tentación .................................. 100

## Promesas de Dios cuando experimentes: CONFLICTOS INTERPERSONALES

Amados, no se venguen ustedes mismos sino dejen lugar a la ira de Dios, porque está escrito: Mía es la venganza; yo pagaré, dice el Señor. Más bien, si tu enemigo tiene hambre, dale de comer; y si tiene sed, dale de beber; pues haciendo esto, carbones encendidos amontonarás sobre su cabeza. No seas vencido por el mal sino vence el mal con el bien.

*Romanos 12:19-21*

No te vengarás ni guardarás rencor a los hijos de tu pueblo. Más bien, amarás a tu prójimo como a ti mismo. Yo, el SEÑOR.

*Levítico 19:18*

Ahora pues, señor mío, vive el SEÑOR y vive tu alma, que el SEÑOR ha impedido que llegaras a derramar sangre y a vengarte por tu propia mano.

*1 Samuel 25:26a*

## Promesas de Dios cuando experimentes: PERSECUCIÓN

Bienaventurados los que son perseguidos por causa de la justicia, porque de ellos es el reino de los cielos. Bienaventurados son cuando los vituperen y los persigan, y digan toda clase de mal contra ustedes por mi causa, mintiendo.

*Mateo 5:10, 11*

Cuando les lleven para entregarlos, no se preocupen por lo que tengan que decir. Más bien, hablen lo que les sea dado en aquella hora; porque no son ustedes los que hablan sino el Espíritu Santo.

*Marcos 13:11*

Pero aun si llegan a padecer por causa de la justicia, son bienaventurados. Por tanto, no tengan miedo por temor de ellos ni sean turbados. Más bien, santifiquen en sus corazones a Cristo como Señor y estén siempre listos para responder a todo el que les pida razón de la esperanza que hay en ustedes, pero háganlo con mansedumbre y reverencia.

*1 Pedro 3:14, 15*

## Promesas de Dios cuando experimentes: NECESIDAD

Y poderoso es Dios para hacer que abunde en ustedes toda gracia, a fin de que, teniendo siempre en todas las cosas todo lo necesario, abunden para toda buena obra.

*2 Corintios 9:8*

El que no eximió ni a su propio Hijo sino que lo entregó por todos nosotros, ¿cómo no nos dará gratuitamente también con él todas las cosas?

*Romanos 8:32*

Mi Dios, pues, suplirá toda necesidad de ustedes conforme a sus riquezas en gloria en Cristo Jesús.

*Filipenses 4:19*

Honra al SEÑOR con tus riquezas y con las primicias de todos tus frutos. Así tus graneros estarán llenos con abundancia, y tus lagares rebosarán de vino nuevo.

*Proverbios 21:5*

Porque si primero se tiene dispuesta la voluntad, se acepta según lo que uno tenga, no según lo que no tenga. Pero no digo esto para que haya para otros alivio y para ustedes estrechez, sino para que haya igualdad. En este tiempo su abundancia supla lo que a ellos les falta, para que también la abundancia de ellos supla lo que a ustedes les falte, a fin de que haya igualdad; como está escrito: *El que recogió mucho no tuvo más, y el que recogió poco no tuvo menos.*

*2 Corintios 8:12-15*

No lo digo porque tenga escasez pues he aprendido a contentarme con lo que tengo. Sé vivir en la pobreza, y sé vivir en la abundancia. En todo lugar y en todas las circunstancias he aprendido el secreto de hacer frente tanto a la hartura como al hambre, tanto a la abundancia como a la necesidad. ¡Todo lo puedo en Cristo que me fortalece!

*Filipenses 4:11-13*

A los ricos de la edad presente manda que no sean altivos ni pongan su esperanza en la incertidumbre de las riquezas sino en Dios quien nos provee todas las cosas en abundancia para que las disfrutemos. Que hagan el bien, que sean ricos en buenas obras, que sean generosos y dispuestos a compartir, atesorando para sí buen fundamento para el porvenir para que echen mano de la vida verdadera.

*1 Timoteo 6:17-19*

Y a aquel que es poderoso para hacer todas las cosas mucho más abundantemente de lo que pedimos o pensamos, según el poder que actúa en nosotros, a él sea la gloria en la iglesia y en Cristo Jesús, por todas las generaciones de todas las edades, para siempre. Amén.

*Efesios 3:20, 21*

¿Por qué gastan el dinero en lo que no es pan, y su trabajo en lo que no satisface? Óiganme atentamente y coman del bien, y su alma se deleitará con manjares.

*Isaías 55:2*

## Promesas de Dios cuando experimentas: TENTACIÓN

No les ha sobrevenido ninguna tentación que no sea humana; pero fiel es Dios, quien no los dejará ser tentados más de lo que ustedes pueden soportar, sino que juntamente con la tentación dará la salida, para que la puedan resistir.

*1 Corintios 10:13*

Hermanos, en caso de que alguien se encuentre enredado en alguna transgresión, ustedes que son espirituales, restauren al tal con espíritu de mansedumbre, considerándote a ti mismo, no sea que tú también seas tentado.

*Gálatas 6:1*

Sométanse, pues, a Dios. Resistan al diablo, y él huirá de ustedes.

*Santiago 4:7*

Después de salir, se fue, como solía, al monte de los Olivos; y sus discípulos también le siguieron. Cuando llegó al lugar, les dijo:

—Oren que no entren en tentación.

*Lucas 22:39, 40*

Bienaventurado el hombre que persevera bajo la prueba porque, cuando haya sido probado, recibirá la corona de vida que Dios ha prometido a los que lo aman.

*Santiago 1:12*

Entonces el Señor sabe rescatar de la prueba a los piadosos y guardar a los injustos para ser castigados en el día del juicio.

*2 Pedro 2:9*

¿Y con quiénes se disgustó durante cuarenta años? ¿No fue precisamente con los que pecaron, cuyos cuerpos cayeron en el desierto? ¿Y a quiénes juró que no entrarían en su reposo sino a aquellos que no obedecieron?

*Hebreos 2:17, 18*

Nadie diga cuando sea tentado: "Soy tentado por Dios" porque Dios no es tentado por el mal, y él no tienta a nadie. Pero cada uno es tentado cuando es arrastrado y seducido por su propia pasión.

*Santiago 1:13, 14*

# V

## Promesas de Dios cuando necesitas:

1. Amistad .................................... 105
2. Paz ............................................ 107
3. Sabiduría ................................. 111
4. Ayuda ....................................... 115
5. Confianza ................................ 116
6. Consuelo .................................. 116
7. Cuidado de Dios .................... 119
8. Amor de Dios ......................... 119
9. Dirección ................................ 122
10. Dominio propio y sobriedad . 126
11. Fortaleza ................................ 128
12. Paciencia ................................ 131
13. Apoyo ...................................... 133
14. Auxilio .................................... 135
15. Conocimiento ........................ 136
16. Poder espiritual ..................... 138

## Promesas de Dios cuando necesitas: AMISTAD

Miren por ustedes mismos: Si tu hermano peca, repréndele; y si se arrepiente, perdónale. Si siete veces al día peca contra ti, y siete veces al día vuelve a ti diciendo: "Me arrepiento", perdónale.

*Lucas 17:3, 4*

En todo tiempo ama el amigo y el hermano nace para el tiempo de angustia.

*Proverbios 17:17*

El discernimiento del hombre detiene su furor, y su honra es pasar por alto la ofensa.

*Proverbios 19:11*

Este es mi mandamiento: que se amen los unos a los otros como yo los he amado. Nadie tiene mayor amor que este: que uno ponga su vida por sus amigos. Ustedes son mis amigos si hacen lo que yo les mando.

*Juan 15:12-14*

Compañero soy yo de todos los que te temen y guardan tus ordenanzas.

*Salmo 119:63*

El hierro con hierro se afila y el hombre afina el semblante de su amigo.

*Proverbios 27:17*

Mejor dos que uno solo, pues tienen mejor recompensa por su trabajo. Porque si caen, el uno levantará a su compañero. Pero, ¡ay del que cae cuando no hay otro que lo levante!

*Eclesiastés 4:9, 10*

Hay amigos que uno tiene para su propio mal, pero hay un amigo que es más fiel que un hermano.

*Proverbios 18:24*

Por tanto, si tu hermano peca contra ti, ve, amonéstale a solas entre tú y él. Si él te escucha, has ganado a tu hermano.

*Mateo 18:15*

Entonces Pedro se acercó y le dijo:

—Señor, ¿cuántas veces pecará mi hermano contra mí y yo le perdonaré? ¿Hasta siete veces?

Jesús le dijo:

—No te digo hasta siete, sino hasta setenta veces siete.

*Mateo 18:21, 22*

Bueno es no comer carne ni beber vino ni hacer nada en que tropiece tu hermano.

*Romanos 14:21*

El que ama a su hermano permanece en la luz, y en él no hay tropiezo. Pero el que odia a su hermano está en tinieblas y anda en tinieblas; y no sabe a dónde va porque las tinieblas le han cegado los ojos.

*1 Juan 2:10, 11*

Fieles son las heridas que causa el que ama, pero engañosos son los besos del que aborrece.

*Proverbios 27:6*

Así que, los que somos más fuertes debemos sobrellevar las flaquezas de los débiles y no agradarnos a nosotros mismos. Cada uno de nosotros agrade a su prójimo para el bien, con miras a la edificación

*Romanos 15:1, 2*

## Promesas de Dios cuando necesitas: PAZ

Oh SEÑOR, tú estableces paz para nosotros, porque también realizas por nosotros todas nuestras obras.

*Isaías 26:12*

Por nada estén afanosos; más bien, presenten sus peticiones delante de Dios en toda oración y ruego, con acción de gracias. Y la paz de Dios, que sobrepasa todo entendimiento, guardará sus corazones y sus mentes en Cristo Jesús.

*Filipenses 4:6, 7*

Todos tus hijos serán enseñados por el SEÑOR, y grande será la paz de tus hijos.

*Isaías 54:13*

Porque Dios no es Dios de desorden sino de paz.

*1 Corintios 14:33a*

El que anda en rectitud entrará en paz; llegarán a reposar sobre sus lechos.

*Isaías 57:2*

Mucha paz tienen los que aman tu ley, y no hay para ellos tropiezo.

*Salmo 119:165*

Y la paz de Cristo gobierne en su corazón, pues a ella fueron llamados en un solo cuerpo, y sean agradecidos.

*Colosenses 3:15*

Porque el reino de Dios no es comida ni bebida sino justicia, paz y gozo en el Espíritu Santo.

*Romanos 14:17*

Pero los mansos heredarán la tierra y se deleitarán por la abundancia de paz.

*Salmo 37:11*

Que el Dios de esperanza los llene de todo gozo y paz en el creer, para que abunden en la esperanza por el poder del Espíritu Santo.

*Romanos 15:13*

El SEÑOR dará fortaleza a su pueblo; el SEÑOR bendecirá a su pueblo con paz.

*Salmo 29:11*

En paz me acostaré y dormiré; porque solo tú, oh SEÑOR, me haces vivir seguro.

*Salmo 4:8*

Tú guardarás en completa paz a aquel cuyo pensamiento en ti persevera, porque en ti ha confiado.

*Isaías 26:3*

La paz les dejo, mi paz les doy. No como el mundo la da, yo se la doy a ustedes. No se turbe su corazón ni tenga miedo.

*Juan 14:27*

Les he hablado de estas cosas para que en mí tengan paz. En el mundo tendrán aflicción, pero ¡tengan valor; yo he vencido al mundo!

*Juan 16:33*

Porque la intención de la carne es muerte, pero la intención del Espíritu es vida y paz.

*Romanos 8:6*

El efecto de la justicia será paz; el resultado de la justicia será tranquilidad y seguridad para siempre. Mi pueblo habitará en una morada de paz, en habitaciones seguras y en frescos lugares de reposo.

*Isaías 32:17, 18*

Engaño hay en el corazón de los que traman el mal, pero en el corazón de los que aconsejan paz hay alegría.

*Proverbios 12:20*

En sus días florecerá el justo; habrá abundancia de paz hasta que no haya más luna.

*Salmo 72:7*

En cuanto a lo demás, hermanos, regocíjense. Sean maduros; sean confortados; sean de un mismo sentir. Vivan en paz, y el Dios de paz y de amor estará con ustedes.

*2 Corintios 13:11*

Porque un niño nos es nacido, un hijo nos es dado, y el dominio estará sobre su hombro. Se llamará su nombre: Admirable Consejero, Dios Fuerte, Padre Eterno, Príncipe de Paz. Lo dilatado de su dominio y la paz no tendrán fin sobre el trono de David y sobre su reino, para afirmarlo y fortalecerlo con derecho y con justicia, desde ahora y para siempre. El celo del SEÑOR de los Ejércitos hará esto.

*Isaías 9:6, 7*

Apártate del mal y haz el bien; busca la paz y síguela.

*Salmo 34:14*

Considera al íntegro y mira al justo; que la posteridad de ese hombre es paz.

*Salmo 37:37*

A causa de la verdad que permanece en nosotros y que estará con nosotros para siempre: La gracia, la misericordia y la paz de parte de Dios Padre y de Jesucristo, el Hijo del Padre, estarán con nosotros en verdad y amor.

*2 Juan 2, 3*

## Promesas de Dios cuando necesitas: SABIDURÍA

Y si a alguno de ustedes le falta sabiduría, pídala a Dios —quien da a todos con liberalidad y sin reprochar— y le será dada.

*Santiago 1:5*

Con Dios están la sabiduría y el poder; suyo son el consejo y el entendimiento.

*Job 12:13*

La exposición de tu palabra alumbra; hace entender a los ingenuos.

*Salmo 119:130*

Porque al hombre que le agrada, Dios le da sabiduría, conocimiento y alegría; pero al pecador le da la tarea de acumular y amontonar para que lo deje al que agrada a Dios. También esto es vanidad y aflicción de espíritu.

*Eclesiastés 2:26*

Porque yo les daré boca y sabiduría, a la cual no podrán resistir ni contradecir todos los que se les opongan.

*Lucas 21:15*

El principio de la sabiduría es el temor del SEÑOR. Buen entendimiento tienen todos los que ponen esto por obra. Su loor permanece para siempre.

*Salmo 111:10*

Los hombres malos no entienden el derecho, pero los que buscan al SEÑOR lo entienden todo.

*Proverbios 28:5*

Por él están ustedes en Cristo Jesús, a quien Dios hizo para nosotros sabiduría, justificación, santificación y redención; para que, como está escrito: *El que se gloría, gloríese en el Señor.*

*1 Corintios 1:30, 31*

Enséñanos a contar nuestros días de tal manera que traigamos al corazón sabiduría.

*Salmo 90:12*

Enséñame buen sentido y sabiduría porque tus mandamientos he creído.

*Salmo 119:66*

Porque el SEÑOR da la sabiduría, y de su boca provienen el conocimiento y el entendimiento.

*Proverbios 2:6*

Bienaventurado el hombre que halla sabiduría y el que obtiene entendimiento; porque su provecho es mayor que el de la plata, y su resultado es mejor que el oro fino.

*Proverbios 2:6*

Bienaventurado el hombre que halla sabiduría y el que obtiene entendimiento; porque su provecho es mayor que el de la plata, y su resultado es mejor que el oro fino.

*Proverbios 3:13, 14*

Yo, la sabiduría, habito con la sagacidad, y me hallo con el conocimiento de la discreción.

*Proverbios 8:12*

¿Quién como el sabio? ¿Quién conoce la interpretación de las cosas? La sabiduría del hombre iluminará su rostro y transformará la dureza de su semblante.

*Eclesiastés 8:1*

Porque yo les daré boca y sabiduría, a la cual no podrán resistir ni contradecir todos los que se les opongan.

*Lucas 21:15*

Pido que el Dios de nuestro Señor Jesucristo, el Padre de gloria, les dé espíritu de sabiduría y de revelación en el pleno conocimiento de él; habiendo sido iluminados los ojos de su entendimiento para que conozcan cuál es la esperanza a la que los ha llamado, cuáles las riquezas de la gloria de su herencia en los santos, y cuál la inmensurable grandeza de su poder para con nosotros los que creemos, conforme a la operación del dominio de su fuerza.

*Efesios 1:17-19*

Pero a cada cual le es dada la manifestación del Espíritu para provecho mutuo. Porque a uno se le da palabra de sabiduría por medio del Espíritu; pero a otro, palabra de conocimiento según el mismo Espíritu; a otro, fe por el mismo Espíritu; y a otro, dones de sanidades por un solo Espíritu; a otro, el hacer milagros; a otro, profecía; a otro, discernimiento de espíritus; a otro, géneros de lenguas; y a otro, interpretación de lenguas. Pero todas estas cosas las realiza el único y mismo Espíritu, repartiendo a cada uno en particular como él designa.

*1 Corintios 12:7-11*

¿Quién es sabio y entendido entre ustedes? ¡Que demuestre por su buena conducta sus obras en la mansedumbre de la sabiduría! Pero si en su corazón ustedes tienen amargos celos y contiendas, no se jacten ni mientan contra la verdad. Esta no es la sabiduría que desciende de lo alto sino que es terrenal, animal y diabólica. Porque donde hay celos y contiendas, allí hay desorden y toda práctica perversa. En cambio, la sabiduría que procede de lo alto es primeramente pura; luego es pacífica, tolerante, complaciente, llena de misericordia y de buenos frutos, imparcial y no hipócrita. Y el fruto de justicia se siembra en paz para aquellos que hacen la paz.

*Santiago 3:13-18*

La ley del SEÑOR es perfecta; restaura el alma. El testimonio del SEÑOR es fiel; hace sabio al ingenuo.

*Salmo 19:7*

El que anda con los sabios se hará sabio, pero el que se junta con los necios sufrirá daño.

*Proverbios 13:20*

La mujer sabia edifica su casa, pero la insensata con sus propias manos la destruye.

*Proverbios 14:1*

Mejor es un muchacho pobre y sabio que un rey viejo e insensato que ya no sabe ser precavido.

*Eclesiastés 4:13*

## Promesas de Dios cuando necesitas: AYUDA

Y sabemos que Dios hace que todas las cosas ayuden para bien a los que le aman; esto es, a los que son llamados conforme a su propósito.

*Romanos 8:28*

Echa tu carga sobre el SEÑOR, y él te sostendrá. Jamás dejará caído al justo.

*Salmo 55:22*

Antes que sus espinos produzcan espinas, con su ira los arrebatará cual vendaval.

*Salmo 56:9*

Los pobres y los necesitados buscan agua, y no la hay; su lengua se reseca de sed. Pero yo, el SEÑOR, les responderé; yo, el Dios de Israel, no los abandonaré.

*Isaías 41:17*

## Promesas de Dios cuando necesitas: CONFIANZA

Bendito el hombre que confía en el SEÑOR, y cuya confianza es el SEÑOR. Será como un árbol plantado junto a las aguas y que extiende sus raíces a la corriente. No temerá cuando venga el calor, sino que sus hojas estarán verdes. En el año de sequía no se inquietará ni dejará de dar fruto.

*Jeremías 17:7, 8*

Porque no tenemos un sumo sacerdote que no puede compadecerse de nuestras debilidades, pues él fue tentado en todo igual que nosotros pero sin pecado. Acerquémonos, pues, con confianza al trono de la gracia para que alcancemos misericordia y hallemos gracia para el oportuno socorro.

*Hebreos 4:15, 16*

## Promesas de Dios cuando necesitas: CONSUELO

Yo soy, yo soy su Consolador. ¿Quién eres tú para que temas al hombre, que es mortal; al hijo del hombre, que es tratado como el pasto? ¿Te has olvidado ya del SEÑOR, tu Hacedor, que desplegó los cielos y puso los fundamentos de la tierra, para que continuamente y todo el día temas la furia del opresor, cuando se dispone a destruir? Pero, ¿dónde está la furia del opresor?

*Isaías 51:12, 13*

El SEÑOR edifica a Jerusalén y reúne a los dispersados de Israel. Sana a los quebrantados de corazón y venda sus heridas.

*Salmo 147:2, 3*

Bendito sea el Dios y Padre de nuestro Señor Jesucristo, Padre de misericordias y Dios de toda consolación, quien nos consuela en todas nuestras tribulaciones. De esta manera, con la consolación con que nosotros mismos somos consolados por Dios, también nosotros podemos consolar a los que están en cualquier tribulación. Porque de la manera que abundan a favor nuestro las aflicciones de Cristo, así abunda también nuestra consolación por el mismo Cristo.

*2 Corintios 1:3-5*

Porque él hiere pero también venda; él golpea pero sus manos sanan.

*Job 5:18*

Para que, por dos cosas inmutables en las cuales es imposible que Dios mienta, tengamos un fortísimo estímulo los que hemos acudido para asirnos de la esperanza puesta por delante.

*Hebreos 6:18*

Como aquel a quien su madre consuela, así los consolaré yo a ustedes. En Jerusalén serán consolados.

*Isaías 66:13*

Pues así te olvidarás de tu sufrimiento; como aguas que ya pasaron lo recordarás. Tu existencia será más resplandeciente que el mediodía; aun la oscuridad te será como la alborada.

*Job 11:16, 17*

El día que clamé, me respondiste; mucho valor infundiste a mi alma.

*Salmo 138:3*

Oh SEÑOR, me he acordado de tus juicios realizados desde tiempos antiguos y he hallado consuelo.

*Salmo 119:52*

Cercano está el SEÑOR a los quebrantados de corazón; él salvará a los contritos de espíritu.

*Salmo 34:18*

Vendrán y darán alabanza en la cumbre de Sion. Correrán hacia la bondad del SEÑOR: al grano, al vino nuevo, al aceite y a las crías de las ovejas y de las vacas. Su vida será como huerto de riego; nunca más volverán a languidecer. Entonces la virgen se regocijará en la danza, y los jóvenes y los ancianos juntamente. Porque transformaré su duelo en regocijo; los consolaré y los alegraré en su dolor.

*Jeremías 31:12, 13*

Y el mismo Señor nuestro Jesucristo, y nuestro Padre Dios quien nos amó y por gracia nos dio eterno consuelo y buena esperanza, anime sus corazones y les confirme en toda obra y palabra buena.

*2 Tesalonicenses 2:16, 17*

## Promesas de Dios cuando necesitas: CUIDADO DE DIOS

Humíllense, pues, bajo la poderosa mano de Dios para que él los exalte al debido tiempo. Echen sobre él toda su ansiedad, porque él tiene cuidado de ustedes.

*1 Pedro 5:6, 7*

Como el pastor cuida de su rebaño cuando está entre las ovejas dispersas, así cuidaré de mis ovejas y las libraré en todos los lugares a donde han sido dispersadas en el día del nublado y de la oscuridad.

*Ezequiel 34:12*

¿Acaso se olvidará la mujer de su bebé, y dejará de compadecerse del hijo de su vientre? Aunque ellas se olviden, yo no me olvidaré de ti.

*Isaías 49:15*

Aunque mi padre y mi madre me dejen, con todo, el SEÑOR me recogerá.

*Salmo 27:10*

## Promesas de Dios cuando necesitas: AMOR DE DIOS

Yo amo a los que me aman, y me hallan los que con diligencia me buscan.

*Proverbios 8:17*

El SEÑOR me ha aparecido desde hace mucho tiempo, diciendo: "Con amor eterno te he amado; por tanto, te he prolongado mi misericordia.

*Jeremías 31:3*

Porque de tal manera amó Dios al mundo, que ha dado a su Hijo unigénito para que todo aquel que en él cree no se pierda mas tenga vida eterna.

*Juan 3:16*

En esto se mostró el amor de Dios para con nosotros: en que Dios envió a su Hijo unigénito al mundo para que vivamos por él.

*1 Juan 4:9*

Y nosotros hemos conocido y creído el amor que Dios tiene para con nosotros. Dios es amor. Y el que permanece en el amor permanece en Dios y Dios permanece en él.

*1 Juan 4:16*

Como el Padre me amó, también yo los he amado; permanezcan en mi amor.

*Juan 15:9*

Pero cuando se manifestó la bondad de Dios nuestro Salvador y su amor por los hombres, él nos salvó, no por las obras de justicia que nosotros hubiésemos hecho, sino según su misericordia; por medio del lavamiento de la regeneración y de la renovación del Espíritu Santo.

*Tito 3:4, 5*

Para que Cristo habite en sus corazones por medio de la fe de modo que, siendo arraigados y fundamentados en amor, ustedes sean plenamente capaces de comprender, junto con todos los santos, cuál es la anchura, la longitud, la altura y la profundidad, y de conocer el amor de Cristo que sobrepasa todo conocimiento para que así sean llenos de toda la plenitud de Dios.

*Efesios 3:17:19*

Por lo cual estoy convencido de que ni la muerte ni la vida ni ángeles ni principados ni lo presente ni lo porvenir ni poderes ni lo alto ni lo profundo, ni ninguna otra cosa creada nos podrá separar del amor de Dios que es en Cristo Jesús, Señor nuestro.

*Romanos 8:38, 39*

Yo les he dado a conocer tu nombre y se lo daré a conocer todavía, para que el amor con que me has amado esté en ellos, y yo en ellos.

*Juan 17:26*

Y la esperanza no acarrea vergüenza porque el amor de Dios ha sido derramado en nuestros corazones por el Espíritu Santo que nos ha sido dado.

*Romanos 5:5*

Pero Dios demuestra su amor para con nosotros en que, siendo aún pecadores, Cristo murió por nosotros.

*Romanos 5:8*

Miren cuán grande amor nos ha dado el Padre para que seamos llamados hijos de Dios. ¡Y lo somos! Por esto el mundo no nos conoce, porque no le conoció a él.

*1 Juan 3:1*

En esto hemos conocido el amor: en que él puso su vida por nosotros.

*1 Juan 3:16a*

Consérvense en el amor de Dios, aguardando con esperanza la misericordia de nuestro Señor Jesucristo para vida eterna.

*Judas 21*

El que tiene mis mandamientos y los guarda, él es quien me ama. Y el que me ama será amado por mi Padre, y yo lo amaré y me manifestaré a él.

*Juan 14:21*

Pues el Padre mismo les ama, porque ustedes me han amado y han creído que yo he salido de la presencia de Dios.

*Juan 16:27*

## Promesas de Dios cuando necesitas: DIRECCIÓN

Te guiarán cuando camines; te guardarán cuando te acuestes y hablarán contigo cuando te despiertes.

Porque el mandamiento es antorcha y la instrucción es luz. Y las reprensiones de la disciplina son camino de vida.

*Proverbios 6:22, 23*

Te haré entender y te enseñaré el camino en que debes andar. Sobre ti fijaré mis ojos.

*Salmo 32:8*

Encomienda al SEÑOR tu camino; confía en él, y él hará.

*Salmo 37:5*

Me has guiado según tu consejo, y después me recibirás en gloria.

*Salmo 73:24*

Porque Dios es nuestro Dios eternamente y para siempre; por siempre nos guiará.

*Salmo 48:14*

Y cuando venga el Espíritu de verdad, él les guiará a toda la verdad pues no hablará por sí solo sino que hablará todo lo que oiga y les hará saber las cosas que han de venir.

*Juan 16:13*

Confía en el SEÑOR con todo tu corazón y no te apoyes en tu propia inteligencia. Reconócelo en todos tus caminos y él enderezará tus sendas.

*Proverbios 3:5, 6*

Encomienda al SEÑOR tus obras y tus pensamientos serán afirmados.

*Proverbios 16:3*

Encaminará a los humildes en la justicia y enseñará a los humildes su camino.

*Salmo 25:9*

¿Qué hombre es el que teme al SEÑOR? Él le enseñará el camino que ha de escoger.

*Salmo 25:12*

Por el SEÑOR son afirmados los pasos del hombre, y él se complacerá en su camino.

*Salmo 37:23*

Porque tú eres mi roca y mi fortaleza, por amor de tu nombre me guiarás y me encaminarás.

*Salmo 31:3*

El SEÑOR te guiará siempre y saciará tu alma en medio de los sequedales. Él fortalecerá tus huesos, y serás como un jardín de regadío y como un manantial de aguas cuyas aguas nunca faltan.

*Isaías 58:11*

Así ha dicho el SEÑOR, tu Redentor, el Santo de Israel: "Yo soy el SEÑOR tu Dios que te enseña provechosamente, y que te conduce por el camino en que has de andar.

*Isaías 48:17*

Ciertamente tú eres mi lámpara, oh SEÑOR; el SEÑOR ilumina mis tinieblas.

*2 Samuel 22:29*

Y cuando saca fuera a todas las suyas va delante de ellas; y las ovejas le siguen porque conocen su voz.

*Juan 10:4*

Lámpara es a mis pies tu palabra y lumbrera a mi camino.

*Salmo 119:105*

Y tú, niño, serás llamado profeta del Altísimo porque irás delante del Señor para preparar sus caminos; para alumbrar a los que habitan en tinieblas y en sombra de muerte; para encaminar nuestros pies por caminos de paz.

*Lucas 1:76, 79*

Conduciré a los ciegos por un camino que no han conocido, y por sendas que no han conocido los guiaré. Delante de ellos transformaré las tinieblas en luz, y los lugares escabrosos en llanuras. Estas cosas haré por ellos y no los desampararé.

*Isaías 42:16*

Mis ovejas oyen mi voz, y yo las conozco, y me siguen.

*Juan 10:27*

## Promesas de Dios cuando necesitas: DOMINIO PROPIO Y SOBRIEDAD

Porque no nos ha dado Dios un espíritu de cobardía sino de poder, de amor y de dominio propio.

*2 Timoteo 1:7*

Pero habla tú lo que está de acuerdo con la sana doctrina; que los hombres mayores sean sobrios, serios y prudentes, sanos en la fe, en el amor y en la perseverancia. Asimismo, que las mujeres mayores sean reverentes en conducta, no calumniadoras ni esclavas del mucho vino, maestras de lo bueno, de manera que encaminen en la prudencia a las mujeres jóvenes: a que amen a sus maridos y a sus hijos, a que sean prudentes y castas, a que sean buenas amas de casa, a que estén sujetas a sus propios maridos para que la palabra de Dios no sea desacreditada.

*Tito 2:1-5*

Pero el fruto del Espíritu es: amor, gozo, paz, paciencia, benignidad, bondad, fe, mansedumbre y dominio propio. Contra tales cosas no hay ley.

*Gálatas 5:22, 23*

Pero tú, sé sobrio en todo, soporta las aflicciones, haz obra de evangelista; cumple tu ministerio.

*2 Timoteo 4:5*

El fin de todas las cosas se ha acercado. Sean, pues, prudentes y sobrios en la oración.

*1 Pedro 4:7*

Por tanto, no durmamos como los demás, sino vigilemos y seamos sobrios; porque los que duermen, de noche duermen; y los que se emborrachan, de noche se emborrachan. Pero nosotros que somos del día seamos sobrios, vestidos de la coraza de la fe y del amor, y con el casco de la esperanza de la salvación.

*1 Tesalonicenses 5:6-8*

Entonces es necesario que el obispo sea de conducta intachable, marido de una sola mujer, sobrio, prudente, decoroso, hospitalario, apto para enseñar; no dado al vino, no violento sino amable, no contencioso ni amante del dinero. Asimismo, los diáconos deben ser dignos de respeto, sin doblez de lengua, no dados a mucho vino ni amantes de ganancias deshonestas que mantengan el misterio de la fe con limpia conciencia. Las mujeres, asimismo, deben ser dignas de respeto, no calumniadoras, sobrias, fieles en todo.

*1 Timoteo 3:2, 3, 8, 9, 11*

Y por esto mismo, poniendo todo empeño, añadan a su fe, virtud; a la virtud, conocimiento; al conocimiento, dominio propio; al dominio propio, perseverancia, a la perseverancia, devoción; a la devoción, afecto fraternal; y al afecto fraternal, amor.

*2 Pedro 1:5-7*

Sean sobrios y velen. Su adversario, el diablo, como león rugiente, anda alrededor buscando a quién devorar.

*1 Pedro 5:8*

Por eso, con la mente preparada para actuar y siendo sobrios, pongan su esperanza completamente en la gracia que les es traída en la revelación de Jesucristo.

*1 Pedro 1:13*

## Promesas de Dios cuando necesitas: FORTALEZA

El SEÑOR es mi fuerza y mi escudo; en él esperó mi corazón. Fui ayudado, y se gozó mi corazón; con mi canción le alabaré. El SEÑOR es la fuerza de su pueblo, la fortaleza de salvación para su ungido.

*Salmo 28:7, 8*

Por lo demás, fortalézcanse en el Señor y en el poder de su fuerza. Vístanse de toda la armadura de Dios, para que puedan hacer frente a las intrigas del diablo.

*Efesios 6:10, 11*

No temas, porque yo estoy contigo. No tengas miedo, porque yo soy tu Dios. Te fortaleceré, y también te ayudaré. También te sustentaré con la diestra de mi justicia.

*Isaías 41:10*

Porque los ojos del SEÑOR recorren toda la tierra para fortalecer a los que tienen un corazón íntegro para con él.

*2 Crónicas 16:9a*

Da fuerzas al cansado y le aumenta el poder al que no tiene vigor. Aun los muchachos se fatigan y se cansan; los jóvenes tropiezan y caen. Pero los que esperan en el SEÑOR renovarán sus fuerzas; levantarán las alas como águilas. Correrán y no se cansarán; caminarán y no se fatigarán.

*Isaías 40:29-31*

Por esta razón doblo mis rodillas ante el Padre, de quien toma nombre toda familia en los cielos y en la tierra, a fin de que, conforme a las riquezas de su gloria, les conceda ser fortalecidos con poder por su Espíritu en el hombre interior para que Cristo habite en sus corazones por medio de la fe de modo que, siendo arraigados y fundamentados en amor, ustedes sean plenamente capaces de comprender, junto con todos los santos, cuál es la anchura, la longitud, la altura y la profundidad, y de conocer el amor de Cristo que sobrepasa todo conocimiento para que así sean llenos de toda la plenitud de Dios.

*Efesios 3:14-19*

El SEÑOR es mi fortaleza y mi canción; él ha sido mi salvación. ¡Este es mi Dios! Yo lo alabaré. ¡El Dios de mi padre! A él ensalzaré.

*Éxodo 15:2*

El SEÑOR es mi roca, mi fortaleza y mi libertador. Mi Dios es mi peña; en él me refugiaré. Él es mi escudo, el poder de mi liberación y mi baluarte.

*Salmo 18:2*

El SEÑOR dará fortaleza a su pueblo; el SEÑOR bendecirá a su pueblo con paz.

*Salmo 29:11*

El SEÑOR es la fuerza de su pueblo, la fortaleza de salvación para su ungido.

*Salmo 28:8*

La salvación de los justos proviene del SEÑOR; él es su fortaleza en el tiempo de angustia.

*Salmo 37:39*

¡Todo lo puedo en Cristo que me fortalece!

- *Filipenses 4:13*

El SEÑOR es mi luz y mi salvación; ¿de quién temeré? El SEÑOR es la fortaleza de mi vida; ¿de quién me he de atemorizar?

*Salmo 27:1*

¡Bienaventurado el hombre que tiene en ti sus fuerzas y en cuyo corazón están tus caminos! Cuando pasan por el valle de lágrimas lo convierten en manantial. También la lluvia temprana lo cubre de bendición.

*Salmo 84:5, 6*

Los que confían en el SEÑOR son como el monte Sion, que no se derrumba, sino que está firme para siempre.

*Salmo 125:1*

Dios es el que me ciñe de vigor y hace perfecto mi camino.

*Salmo 18:32*

¡He aquí, Dios es mi salvación! Confiaré y no temeré, porque el SEÑOR es mi fortaleza y mi canción; él es mi salvación.

*Isaías 12:2*

## Promesas de Dios cuando necesitas: PACIENCIA

Hermanos míos, tengan por sumo gozo cuando se encuentren en diversas pruebas sabiendo que la prueba de su fe produce paciencia. Pero que la paciencia tenga su obra completa para que sean completos y cabales, no quedando atrás en nada.

*Santiago 1:2-4*

Les refirió también una parábola acerca de la necesidad de orar siempre y no desmayar.

*Lucas 18:1*

Calla delante del SEÑOR y espera en él. No te alteres con motivo de los que prosperan en su camino, por el hombre que hace maldades.

*Salmo 37:7*

Por lo tanto, hermanos, tengan paciencia hasta la venida del Señor. He aquí, el labrador espera el precioso fruto de la tierra, aguardándolo con paciencia hasta que reciba las lluvias tempranas y tardías. Tengan también ustedes paciencia; afirmen su corazón, porque la venida del Señor está cerca. Hermanos, no murmuren unos contra otros para que no sean condenados. ¡He aquí, el Juez ya está a las puertas! Hermanos, tomen por ejemplo de aflicción y de paciencia a los profetas que hablaron en el nombre del Señor. He aquí, tenemos por bienaventurados a los que perseveraron. Han oído de la perseverancia de Job y han visto el propósito final del Señor, que el Señor es muy compasivo y misericordioso.

*Santiago 5:7-11*

Pero deseamos que cada uno de ustedes muestre la misma diligencia para ir logrando plena certidumbre de la esperanza hasta el final, a fin de que no sean perezosos sino imitadores de los que, por la fe y la paciencia, heredan las promesas.

*Hebreos 6:11, 12*

Por tanto —como escogidos de Dios, santos y amados— vístanse de profunda compasión, de benignidad, de humildad, de mansedumbre y de paciencia;

*Colosenses 3:12*

Hermanos, también les exhortamos a que amonesten a los desordenados, a que alienten a los de poco ánimo, a que den apoyo a los débiles, y a que tengan paciencia hacia todos.

*1 Tesalonicenses 5:14*

Mejor es el de espíritu paciente que el de espíritu altivo.

*Eclesiastés 7:8b*

"Esten quietos y reconozcan que yo soy Dios. Exaltado he de ser entre las naciones; exaltado seré en la tierra".

*Salmo 46:10*

Bueno es esperar en silencio la salvación del SEÑOR.

*Lamentaciones 3:26*

Pero el fruto del Espíritu es: amor, gozo, paz, paciencia, benignidad, bondad, fe, mansedumbre y dominio propio. Contra tales cosas no hay ley.

*Gálatas 5:22, 23*

¡El Señor dirija sus corazones hacia el amor de Dios y la paciencia de Cristo!

*2 Tesalonicenses 3:5*

## Promesas de Dios cuando necesitas: APOYO

Hasta su vejez yo seré el mismo, y hasta las canas yo los sostendré. Yo lo he hecho así, y los seguiré llevando. Yo los sostendré y los libraré.

*Isaías 46:4*

Echa tu carga sobre el SEÑOR, y él te sostendrá. Jamás dejará caído al justo.

*Salmo 55:22*

Porque el SEÑOR Dios me ayuda, no he sido confundido. Por eso puse mi rostro firme como un pedernal y sé que no seré avergonzado.

*Isaías 50:7*

Susténtame conforme a tu palabra, y viviré; no me avergüences con respecto a mi esperanza. Sostenme, y seré salvo; siempre me deleitaré en tus leyes.

*Salmo 119:116, 117*

El SEÑOR sostiene a todos los que caen y levanta a todos los que han sido doblegados.

*Salmo 145:14*

Mi alma llora de ansiedad; sostenme conforme a tu palabra.

*Salmo 119:28*

Porque yo, el SEÑOR, soy tu Dios que te toma fuertemente de tu mano derecha y te dice: "No temas; yo te ayudo".

*Isaías 41:13*

Por el SEÑOR son afirmados los pasos del hombre, y él se complacerá en su camino. Si cae, no quedará postrado porque el SEÑOR sostiene su mano.

*Salmo 37:23, 24*

## Promesas de Dios cuando necesitas: AUXILIO

Los ojos del SEÑOR están sobre los justos; sus oídos están atentos a su clamor.

*Salmo 34:15*

Acerquémonos, pues, con confianza al trono de la gracia para que alcancemos misericordia y hallemos gracia para el oportuno socorro.

*Hebreos 4:16*

Dios es nuestro amparo y fortaleza, nuestro pronto auxilio en las tribulaciones.

*Salmo 46:1*

Sepan que el SEÑOR ha apartado al piadoso para sí; el SEÑOR oirá cuando yo clame a él.

*Salmo 4:3*

Alzaré mis ojos a los montes; ¿de dónde vendrá mi socorro? Mi socorro viene del SEÑOR, que hizo los cielos y la tierra. No permitirá que resbale tu pie ni se adormecerá el que te guarda. He aquí, no se adormecerá ni se dormirá el que guarda a Israel. El SEÑOR es tu protector; el SEÑOR es tu sombra a tu mano derecha. El sol no te herirá de día ni la luna de noche.

El SEÑOR te guardará de todo mal; él guardará tu vida. El SEÑOR guardará tu salida y tu entrada desde ahora y para siempre.

*Salmo 121*

## **Promesas de Dios cuando necesitas: CONOCIMIENTO**

Ahora vemos oscuramente por medio de un espejo, pero entonces veremos cara a cara. Ahora conozco en parte, pero entonces conoceré plenamente, así como fui conocido.

*1 Corintios 13:12*

Y cuando venga el Espíritu de verdad, él les guiará a toda la verdad pues no hablará por sí solo sino que hablará todo lo que oiga y les hará saber las cosas que han de venir.

*Juan 16:13*

Y nosotros no hemos recibido el espíritu de este mundo sino el Espíritu que procede de Dios, para que conozcamos las cosas que Dios nos ha dado gratuitamente.

*1 Corintios 2:12*

A Dios nadie le ha visto jamás; el Dios único que está en el seno del Padre, él le ha dado a conocer.

*Juan 1:18*

Por tanto, Jesús decía a los judíos que habían creído en él:

—Si ustedes permanecen en mi palabra serán verdaderamente mis discípulos; y conocerán la verdad, y la verdad les hará libres.

*Juan 8:31, 32*

Por tanto, Jesús les respondió y dijo:

—Mi doctrina no es mía sino de aquel que me envió. Si alguien quiere hacer su voluntad, conocerá si mi doctrina proviene de Dios o si yo hablo por mi propia cuenta. El que habla de sí mismo busca su propia gloria; pero el que busca la gloria del que le envió, este es verdadero y en él no hay injusticia.

*Juan 7:16-18*

Jesús le dijo:

—Tanto tiempo he estado con ustedes, Felipe, ¿y no me has conocido? El que me ha visto, ha visto al Padre. ¿Cómo, pues, dices tú: "Muéstranos el Padre"? ¿No crees que yo soy en el Padre y el Padre en mí? Las palabras que yo les hablo, no las hablo de mí mismo sino que el Padre que mora en mí hace sus obras. Créanme que yo soy en el Padre, y el Padre en mí; de otra manera, crean por las mismas obras.

*Juan 14:9-11*

Este es el Espíritu de verdad, a quien el mundo no puede recibir porque no lo ve ni lo conoce. Ustedes lo conocen, porque permanece con ustedes y está en ustedes.

*Juan 14:17*

Y esta es la vida eterna: que te conozcan a ti, el único Dios verdadero, y a Jesucristo a quien tú has enviado.

*Juan 17:3*

Padre justo, el mundo no te ha conocido pero yo te he conocido, y estos han conocido que tú me enviaste. Yo les he dado a conocer tu nombre y se lo daré a conocer todavía, para que el amor con que me has amado esté en ellos, y yo en ellos.

*Juan 17:25, 26*

## Promesas de Dios cuando necesitas: PODER ESPIRITUAL

No con ejército ni con fuerza, sino con mi Espíritu, ha dicho el SEÑOR de los Ejércitos.

*Zacarías 4:6b*

Porque no nos ha dado Dios un espíritu de cobardía sino de poder, de amor y de dominio propio.

*2 Timoteo 1:7*

Da fuerzas al cansado y le aumenta el poder al que no tiene vigor. Aun los muchachos se fatigan y se cansan; los jóvenes tropiezan y caen. Pero los que esperan en el SEÑOR renovarán sus fuerzas; levantarán las alas como águilas. Correrán y no se cansarán; caminarán y no se fatigarán.

*Isaías 40:29-31*

Pero recibirán poder cuando el Espíritu Santo haya venido sobre ustedes, y me serán testigos en Jerusalén, en toda Judea, en Samaria y hasta lo último de la tierra.

*Hechos 1:8*

Sé vivir en la pobreza, y sé vivir en la abundancia. En todo lugar y en todas las circunstancias he aprendido el secreto de hacer frente tanto a la hartura como al hambre, tanto a la abundancia como a la necesidad. ¡Todo lo puedo en Cristo que me fortalece!

*Filipenses 4:12, 13*

Porque el reino de Dios no consiste en palabras sino en poder.

*1 Corintios 4:20*

Y a aquel que es poderoso para hacer todas las cosas mucho más abundantemente de lo que pedimos o pensamos, según el poder que actúa en nosotros, a él sea la gloria en la iglesia y en Cristo Jesús, por todas las generaciones de todas las edades, para siempre. Amén.

*Efesios 3:20, 21*

# VI

## Promesas de Dios cuando te sientes:

1. Inseguro y con temor .............. 143
2. Desamparado ............................ 149
3. Infeliz ........................................ 151
4. Sin protección ........................... 153
5. Abandonado por Dios ............ 156
6. Debilitado en tu fe ................... 158

## Promesas de Dios cuando te sientes: INSEGURO Y CON TEMOR

Por esto contiene la Escritura: *He aquí, pongo en Sion la Piedra del ángulo, escogida y preciosa. Y el que cree en él jamás será avergonzado.*

*1 Pedro 2:6*

Mucha paz tienen los que aman tu ley, y no hay para ellos tropiezo.

*Salmo 119:165*

El amado del SEÑOR habitará confiado cerca de él. Él lo protegerá todo el día, y entre sus hombros morará.

*Deuteronomio 33:12*

¿Acaso se olvidará la mujer de su bebé, y dejará de compadecerse del hijo de su vientre? Aunque ellas se olviden, yo no me olvidaré de ti".

*Isaías 49:15*

Israel será salvado por el SEÑOR con salvación eterna. No se avergonzarán ni serán afrentados, por los siglos de los siglos.

*Isaías 45:17*

Los que confían en el SEÑOR son como el monte Sion, que no se derrumba, sino que está firme para siempre.

*Salmo 125:1*

Los ojos del SEÑOR están sobre los justos; sus oídos están atentos a su clamor.

*Salmo 34:15*

Porque la Escritura dice: Todo aquel que cree en él no será avergonzado.

*Romanos 10:11*

Reyes serán tus tutores, y sus princesas tus nodrizas. Con el rostro a tierra se postrarán ante ti y lamerán el polvo de tus pies. Así sabrás que yo soy el SEÑOR, y que los que esperan en mí no serán avergonzados.

*Isaías 49:23*

El SEÑOR conoce los días de los íntegros, y la heredad de ellos será para siempre. No serán avergonzados en el tiempo malo; en los días de hambre serán saciados.

*Salmo 37:18, 19*

Con Cristo he sido juntamente crucificado; y ya no vivo yo sino que Cristo vive en mí. Lo que ahora vivo en la carne, lo vivo por la fe en el Hijo de Dios quien me amó y se entregó a sí mismo por mí.

*Gálatas 2:20*

El SEÑOR cumplirá su propósito en mí. Oh SEÑOR, tu misericordia es para siempre; no desampares la obra de tus manos.

*Salmo 138:8*

Ahora pues, ninguna condenación hay para los que están en Cristo Jesús, porque la ley del Espíritu de vida en Cristo Jesús me ha librado de la ley del pecado y de la muerte.

*Romanos 8:1, 2*

Porque tú, oh SEÑOR Dios, eres mi esperanza, mi seguridad desde mi juventud.

*Salmo 71:5*

Estarás confiado, porque hay esperanza; explorarás alrededor y te acostarás seguro. Te recostarás y no habrá quien te espante; muchos implorarán tu favor.

*Job 11:18, 19*

Ciertamente ninguno de los que confían en ti será avergonzado. Serán avergonzados los que se rebelan sin causa.

*Salmo 25:3*

Por esta razón padezco estas cosas, pero no me avergüenzo porque yo sé a quién he creído, y estoy convencido de que él es poderoso para guardar mi depósito para aquel día.

*2 Timoteo 1:12*

Por esta causa, tomen toda la armadura de Dios para que puedan resistir en el día malo y, después de haberlo logrado todo, quedar firmes.

*Efesios 6:13*

La boca del justo expresará sabiduría, y su lengua proferirá juicio. La ley de su Dios está en su corazón; por eso sus pasos no vacilarán.

*Salmo 37:30, 31*

No se turbe el corazón de ustedes. Crean en Dios; crean también en mí.

*Juan 14:1*

No prosperará ninguna herramienta que sea fabricada contra ti.

*Isaías 54:17a*

Cuando los caminos del hombre le agradan al SEÑOR, aun a sus enemigos reconciliará con él.

*Proverbios 16:7*

Yo busqué al SEÑOR, y él me oyó y de todos mis temores me libró.

*Salmo 34:4*

Haré con ellos un pacto eterno; no desistiré de hacerles bien. Pondré mi temor en el corazón de ellos, para que no se aparten de mí.

*Jeremías 32:40*

Me gozaré y alegraré en tu misericordia porque has visto mi aflicción. Has conocido mi alma en las angustias y no me entregaste en mano del enemigo. Hiciste que mis pies se posasen en lugar espacioso.

*Salmo 31:7, 8*

En justicia estarás afirmada. Estarás apartada de la opresión, la cual no temerás; y lejos del terror, el cual no se acercará a ti.

*Isaías 54:14*

En las tinieblas resplandece la luz para los rectos; él es clemente, misericordioso y justo.

*Salmo 112:4*

Yo les doy vida eterna, y no perecerán jamás, y nadie las arrebatará de mi mano. Mi Padre, que me las ha dado, es mayor que todos y nadie las puede arrebatar de las manos del Padre.

*Juan 10:28, 29*

El ángel del SEÑOR acampa en derredor de los que le temen, y los libra.

*Salmo 34:7*

El SEÑOR tu Dios está en medio de ti: ¡Es poderoso; él salvará! Con alegría se regocijará por causa de ti. Te renovará en su amor; por causa de ti se regocijará con cánticos.

*Sofonías 3:17*

Por lo cual estoy convencido de que ni la muerte ni la vida ni ángeles ni principados ni lo presente ni lo porvenir ni poderes ni lo alto ni lo profundo, ni ninguna otra cosa creada nos podrá separar del amor de Dios que es en Cristo Jesús, Señor nuestro.

*Romanos 8:38, 39*

El que está atento a la palabra hallará el bien, y el que confía en el SEÑOR es bienaventurado.

*Proverbios 16:20*

Pero fiel es el Señor, que les establecerá y les guardará del mal.

*2 Tesalonicenses 3:3*

De hierro y bronce sean tus cerrojos, y tu fuerza sea como tus días.

*Deuteronomio 33:25*

Dios es el que me ciñe de vigor, y hace perfecto mi camino.

*2 Samuel 22:33*

Porque los malhechores serán destruidos, pero los que esperan en el SEÑOR heredarán la tierra.

*Salmo 37:9*

Mi corazón está firme, oh Dios; está firme mi corazón. Cantaré y entonaré salmos.

*Salmo 57:7*

En paz me acostaré y dormiré; porque solo tú, oh SEÑOR, me haces vivir seguro.

*Salmo 4:8*

En el camino de la justicia está la vida y en su senda no hay muerte.

*Proverbios 12:28*

Encomienda al SEÑOR tu camino; confía en él, y él hará.

*Salmo 37:5*

¿Qué, pues, diremos frente a estas cosas? Si Dios es por nosotros, ¿quién contra nosotros?

*Romanos 8:31*

## Promesas de Dios cuando te sientes: DESAMPARADO

Dios es nuestro amparo y fortaleza, nuestro pronto auxilio en las tribulaciones.

*Salmo 46:1*

Con sus plumas te cubrirá, y debajo de sus alas te refugiarás; escudo y defensa es su verdad. No tendrás temor de espanto nocturno ni de flecha que vuele de día ni de peste que ande en la oscuridad ni de plaga que en pleno día destruya. Caerán a tu lado mil y diez mil a tu mano derecha pero a ti no llegará. no te sobrevendrá mal ni la plaga se acercará a tu tienda.

*Salmo 91:4-7, 10*

No temas, porque no serás avergonzada; no seas confundida, porque no serás afrentada. Pues te olvidarás de la vergüenza de tu juventud, y de la afrenta de tu viudez no tendrás más memoria. En justicia estarás afirmada. Estarás apartada de la opresión, la cual no temerás; y lejos del terror, el cual no se acercará a ti. No prosperará ninguna herramienta que sea fabricada contra ti. Tú condenarás toda lengua que se levante contra ti en el juicio. Esta es la heredad de los siervos del SEÑOR, y su vindicación de parte mía, dice el SEÑOR.

*Isaías 54:4, 14, 17*

He aquí que todos los que se enardecen contra ti serán avergonzados y afrentados; los que contienden contigo serán como nada, y perecerán.

*Isaías 41:11*

¡Esfuércense y sean valientes! No tengan temor ni se aterroricen de ellos, porque el SEÑOR su Dios va con ustedes. Él no los abandonará ni los desamparará. El SEÑOR es quien va delante de ti. Él estará contigo; no te dejará ni te desamparará. ¡No temas ni te atemorices!

*Deuteronomio 31:6, 8*

Además, David dijo a su hijo Salomón: "Esfuérzate, sé valiente y actúa. No temas ni desmayes, porque el SEÑOR Dios, mi Dios, estará contigo. No te abandonará ni te desamparará, hasta que acabes toda la obra para el servicio de la casa del SEÑOR.

*1 Crónicas 28:20*

Todo lo que el Padre me da vendrá a mí; y al que a mí viene jamás lo echaré fuera.

*Juan 6:37*

Yo he sido joven y he envejecido; pero no he visto a un justo desamparado ni a sus descendientes mendigando pan.

*Salmo 37:25*

Pues el SEÑOR no desamparará a su pueblo, por causa de su gran nombre; porque él ha querido hacerlos pueblo suyo.

*1 Samuel 12:22*

¿A dónde me iré de tu Espíritu? ¿A dónde huiré de tu presencia? Si subo a los cielos, allí estás tú; si en el Seol hago mi cama, allí tú estás. Si tomo las alas del alba y habito en el extremo del mar, aun allí me guiará tu mano y me asirá tu diestra.

*Salmo 139:7-10*

## Promesas de Dios cuando te sientes: INFELIZ

"Bienaventurados los pobres en espíritu, porque de ellos es el reino de los cielos.

"Bienaventurados los que lloran, porque ellos serán consolados.

"Bienaventurados los mansos, porque ellos recibirán la tierra por heredad.

"Bienaventurados los que tienen hambre y sed de justicia, porque ellos serán saciados.

"Bienaventurados los misericordiosos, porque ellos recibirán misericordia.

"Bienaventurados los de limpio corazón, porque ellos verán a Dios.

"Bienaventurados los que hacen la paz, porque ellos serán llamados hijos de Dios.

"Bienaventurados los que son perseguidos por causa de la justicia, porque de ellos es el reino de los cielos.

"Bienaventurados son cuando los vituperen y los persigan, y digan toda clase de mal contra ustedes por mi causa, mintiendo. Gócense y alégrense, porque su recompensa es grande en los cielos; pues así persiguieron a los profetas que fueron antes de ustedes".

*Mateo 5:3-12*

Cántenle, cántenle salmos; hablen de todas sus maravillas. Gloríense en su santo nombre; alégrese el corazón de los que buscan al SEÑOR.

*1 Crónicas 16:9, 10*

¿Por qué te abates, oh alma mía, y te turbas dentro de mí? Espera a Dios, porque aún le he de alabar. ¡Él es la salvación de mi ser, y mi Dios!

*Salmo 42:5, 6a*

Bienaventurados los que guardan el derecho, los que en todo tiempo hacen justicia.

Ten misericordia de mí, oh Dios; ten misericordia de mí porque en ti ha confiado mi alma. En la sombra de tus alas me ampararé hasta que pasen las calamidades.

*Salmo 57:1*

Bienaventurado el hombre que no anda según el consejo de los impíos ni se detiene en el camino de los pecadores ni se sienta en la silla de los burladores. Más bien, en la ley del SEÑOR está su delicia, y en ella medita de día y de noche. Será como un árbol plantado junto a corrientes de aguas que da su fruto a su tiempo y su hoja no cae. Todo lo que hace prosperará.

*Salmo 1:1-3*

## Promesas de Dios cuando te sientes: SIN PROTECCIÓN

Cuando pases por las aguas, yo estaré contigo; y cuando pases por los ríos, no te inundarán. Cuando andes por el fuego, no te quemarás ni la llama te abrasará.

*Isaías 43:2*

Porque tú, oh SEÑOR, bendecirás al justo; como un escudo lo rodearás con tu favor.

*Salmo 5:12*

La mano de nuestro Dios es para bien sobre todos los que lo buscan, pero su poder y su furor están sobre todos los que lo abandonan.

*Esdras 8:22b*

Dios es nuestro amparo y fortaleza, nuestro pronto auxilio en las tribulaciones.

*Salmo 46:1*

Con sus plumas te cubrirá, y debajo de sus alas te refugiarás; escudo y defensa es su verdad. No tendrás temor de espanto nocturno ni de flecha que vuele de día ni de peste que ande en la oscuridad ni de plaga que en pleno día destruya. Caerán a tu lado mil y diez mil a tu mano derecha pero a ti no llegará.

*Salmo 91:4-7*

No temas, porque no serás avergonzada; no seas confundida, porque no serás afrentada. Pues te olvidarás de la vergüenza de tu juventud, y de la afrenta de tu viudez no tendrás más memoria.

*Isaías 54:4*

He aquí que todos los que se enardecen contra ti serán avergonzados y afrentados; los que contienden contigo serán como nada, y perecerán.

*Isaías 41:11*

Porque el SEÑOR no abandonará a su pueblo ni desamparará a su heredad.

*Salmo 94:14*

Aunque mi padre y mi madre me dejen, con todo, el SEÑOR me recogerá.

*Salmo 27:10*

Pero en aquel día yo te libraré, y no serás entregado en mano de aquellos de cuya presencia temes, dice el SEÑOR.

*Jeremías 39:17*

Pero fiel es el Señor, que les establecerá y les guardará del mal.

*2 Tesalonicenses 3:3*

Entonces el Señor sabe rescatar de la prueba a los piadosos y guardar a los injustos para ser castigados en el día del juicio.

*2 Pedro 2:9*

En ti confiarán los que conocen tu nombre pues tú, oh SEÑOR, no abandonaste a los que te buscaron.

*Salmo 9:10*

Invocaré al SEÑOR, quien es digno de ser alabado, y seré librado de mis enemigos.

*Salmo 18:3*

Invócame en el día de la angustia; yo te libraré, y tú me glorificarás.

*Salmo 50:15*

Porque sol y escudo es el SEÑOR Dios; gracia y gloria dará el SEÑOR.

*Salmo 84:11*

El Señor me librará de toda obra mala y me preservará para su reino celestial. A él sea la gloria por los siglos de los siglos. Amén.

*2 Timoteo 4:18*

Por esta causa, tomen toda la armadura de Dios para que puedan resistir en el día malo y, después de haberlo logrado todo, quedar firmes.

*Efesios 6:13*

Como Jerusalén tiene montes alrededor de ella, así el SEÑOR está alrededor de su pueblo desde ahora y para siempre.

*Salmo 125:2*

## Promesas de Dios cuando te sientes: ABANDONADO POR DIOS

Mi presencia irá contigo, y te daré descanso.

*Éxodo 33:14b*

Y he aquí, yo estoy con ustedes todos los días, hasta el fin del mundo.

*Mateo 28:20b*

Ciertamente los justos darán gracias a tu nombre; los rectos morarán en tu presencia.

*Salmo 140:13*

El SEÑOR estará con ustedes cuando ustedes estén con él. Si lo buscan, él se dejará hallar; pero si lo abandonan él los abandonará.

*2 Crónicas 15:2b*

No los dejaré huérfanos; volveré a ustedes.

*Juan 14:18*

¡Esfuércense y sean valientes! No tengan temor ni se aterroricen de ellos, porque el SEÑOR su Dios va con ustedes. Él no los abandonará ni los desamparará.

*Deuteronomio 31:6*

¿No te he mandado que te esfuerces y seas valiente? No temas ni desmayes, porque el SEÑOR tu Dios estará contigo dondequiera que vayas.

*Josué 1:9*

No temas, porque yo estoy contigo. No tengas miedo, porque yo soy tu Dios. Te fortaleceré, y también te ayudaré. También te sustentaré con la diestra de mi justicia.

*Isaías 41:10*

Sean sus costumbres sin amor al dinero, contentos con lo que tienen ahora porque él mismo ha dicho: Nunca te abandonaré ni jamás te desampararé.

*Hebreos 13:5*

¿A dónde me iré de tu Espíritu? ¿A dónde huiré de tu presencia? Si subo a los cielos, allí estás tú; si en el Seol hago mi cama, allí tú estás. Si tomo las alas del alba y habito en el extremo del mar, aun allí me guiará tu mano y me asirá tu diestra.

*Salmo 137:7-10*

Por lo cual estoy convencido de que ni la muerte ni la vida ni ángeles ni principados ni lo presente ni lo porvenir ni poderes ni lo alto ni lo profundo, ni ninguna otra cosa creada nos podrá separar del amor de Dios que es en Cristo Jesús, Señor nuestro.

*Romanos 8:38, 39*

## Promesas de Dios cuando sientes: DEBILITADO EN TU FE

Jesús le dijo:

—"¿Si puedes…?". ¡Al que cree todo le es posible! Inmediatamente el padre del muchacho clamó diciendo:

—¡Creo! ¡Ayuda mi incredulidad!

*Marcos 9:23, 24*

He aquí, aquel cuya alma no es recta dentro de sí está envanecido, pero el justo por su fe vivirá.

*Habacuc 2:4*

Él le dijo:

—Hija, tu fe te ha salvado. Vete en paz.

*Lucas 8:48*

Entonces respondió Jesús y le dijo:

—¡Oh mujer, grande es tu fe! Sea hecho contigo como quieres.

Y su hija fue sana desde aquella hora.

*Mateo 15:28*

Respondiendo Jesús les dijo:

—Tengan fe en Dios. De cierto les digo que

cualquiera que diga a este monte: "Quítate y arrójate al mar", y que no dude en su corazón sino que crea que será hecho lo que dice, le será hecho. Por esta razón les digo que todo por lo cual oran y piden, crean que lo han recibido y les será hecho.

*Marcos 11:22-24*

Porque no me avergüenzo del evangelio pues es poder de Dios para salvación a todo aquel que cree; al judío primero y también al griego. Porque en él la justicia de Dios se revela por fe y para fe como está escrito: *Pero el justo vivirá por la fe.*

*Romanos 1:16, 17*

Pero ahora, aparte de la ley, se ha manifestado la justicia de Dios atestiguada por la Ley y los Profetas. Esta es la justicia de Dios por medio de la fe en Jesucristo para todos los que creen. Pues no hay distinción porque todos pecaron y no alcanzan la gloria de Dios, siendo justificados gratuitamente por su gracia mediante la redención que es en Cristo Jesús. Como demostración de su justicia, Dios le ha puesto a él como expiación por la fe en su sangre, a causa del perdón de los pecados pasados, en la paciencia de Dios, con el propósito de manifestar su justicia en el tiempo presente para que él sea justo, y a la vez, justificador del que tiene fe en Jesús.

*Romanos 3:21-26*

Así que consideramos que el hombre es justificado por la fe sin las obras de la ley.

*Romanos 3:28*

Justificados, pues, por la fe tenemos paz para con Dios por medio de nuestro Señor Jesucristo, por medio de quien también hemos obtenido acceso por la fe a esta gracia en la cual estamos firmes y nos gloriamos en la esperanza de la gloria de Dios.

*Romanos 5:1, 2*

¿Qué, pues, diremos? Que los gentiles, quienes no iban tras la justicia, alcanzaron la justicia —es decir, la justicia que procede de la fe— mientras que Israel, que iba tras la ley de justicia, no alcanzó la ley. ¿Por qué? Porque no era por fe, sino por obras. Tropezaron en la piedra de tropiezo, como está escrito: *He aquí pongo en Sion una piedra de tropiezo y una roca de escándalo; y aquel que cree en él no será avergonzado.*

*Romanos 9:30-33*

Cerca de ti está la palabra, en tu boca y en tu corazón. Esta es la palabra de fe que predicamos: que si confiesas con tu boca que Jesús es el Señor y si crees en tu corazón que Dios le levantó de entre los muertos, serás salvo. Porque con el corazón se cree para justicia, y con la boca se hace confesión para salvación.

*Romanos 10:8b-10*

La fe es la constancia de las cosas que se esperan, la comprobación de los hechos que no se ven. Y sin fe es imposible agradar a Dios, porque es necesario que el que se acerca a Dios crea que él existe y que es galardonador de los que le buscan.

*Hebreos 12:1, 2*

Pero sabiendo que ningún hombre es justificado por las obras de la ley sino por medio de la fe en Jesucristo, hemos creído nosotros también en Cristo Jesús, para que seamos justificados por la fe en Cristo y no por las obras de la ley. Porque por las obras de la ley nadie será justificado.

*Gálatas 2:16*

Por esto, la fe es por el oír, y el oír por la palabra de Cristo.

*Romanos 10:17*

Porque por gracia son salvos por medio de la fe; y esto no de ustedes pues es don de Dios. No es por obras, para que nadie se gloríe.

*Efesios 2:8, 9*

Para que Cristo habite en sus corazones por medio de la fe.

*Efesios 3:17a*

Pelea la buena batalla de la fe; echa mano de la vida eterna a la cual fuiste llamado y confesaste la buena confesión delante de muchos testigos.

*1 Timoteo 6:12*

Pero persiste tú en lo que has aprendido y te has persuadido, sabiendo de quiénes lo has aprendido y que desde tu niñez has conocido las Sagradas Escrituras, las cuales te pueden hacer sabio para la salvación por medio de la fe que es en Cristo Jesús.

*2 Timoteo 3:14, 15*

Permanezcan, pues, firmes, ceñidos con el cinturón de la verdad, vestidos con la coraza de justicia y calzados sus pies con la preparación para proclamar el evangelio de paz. Y sobre todo, ármense con el escudo de la fe con que podrán apagar todos los dardos de fuego del maligno.

*Efesios 6:14-16*

Bendito sea el Dios y Padre de nuestro Señor Jesucristo, quien según su grande misericordia nos ha hecho nacer de nuevo para una esperanza viva por medio de la resurrección de Jesucristo de entre los muertos; para una herencia incorruptible, incontaminable e inmarchitable, reservada en los cielos para ustedes que son guardados por el poder de Dios mediante la fe, para la salvación preparada para ser revelada en el tiempo final.

*1 Pedro 1:3-5*

Simón Pedro, siervo y apóstol de Jesucristo, a los que han alcanzado una fe igualmente preciosa como la nuestra por la justicia de nuestro Dios y Salvador Jesucristo.

*2 Pedro 1:1*

Porque todo lo que ha nacido de Dios vence al mundo; y esta es la victoria que ha vencido al mundo: nuestra fe. ¿Quién es el que vence al mundo sino el que cree que Jesús es el Hijo de Dios?

*1 Juan 5:4, 5*

# VII

## Promesas de Dios ante tu deber de:

1. Perseverar ................................. 165
2. Someterte y sujetarte a Dios
y a los hermanos en la fe ...... 168
3. Ser humilde ............................. 169
4. Obedecer ................................. 173
5. Testificar ................................ 175
6. Ser agradecido ....................... 176

## Promesas de Dios ante tu deber de: PERSEVERAR

No desechen, pues, su confianza, la cual tiene una gran recompensa. Porque les es necesaria la perseverancia para que, habiendo hecho la voluntad de Dios, obtengan lo prometido.

*Hebreos 10:35, 36*

Consideren, pues, al que soportó tanta hostilidad de pecadores contra sí mismo, para que no decaiga el ánimo de ustedes ni desmayen.

*Hebreos 12:3*

Hermanos, tomen por ejemplo de aflicción y de paciencia a los profetas que hablaron en el nombre del Señor. He aquí, tenemos por bienaventurados a los que perseveraron. Han oído de la perseverancia de Job y han visto el propósito final del Señor, que el Señor es muy compasivo y misericordioso.

*Santiago 5:10, 11*

Y no solo esto, sino que también nos gloriamos en las tribulaciones, sabiendo que la tribulación produce perseverancia, y la perseverancia produce carácter probado, y el carácter probado produce esperanza. Y la esperanza no acarrea vergüenza porque el amor de Dios ha sido derramado en nuestros corazones por el Espíritu Santo que nos ha sido dado; porque, aún siendo nosotros débiles, a su tiempo Cristo murió por los impíos.

*Romanos 5:3-6*

Pero en cuanto a la parte que cayó en buena tierra, estos son los que, al oír con corazón bueno y recto, retienen la palabra oída y llevan fruto con perseverancia.

*Lucas 8:15*

Serán aborrecidos por todos a causa de mi nombre, pero ni un solo cabello de su cabeza perecerá. Por su perseverancia salvarán sus vidas.

*Lucas 21:17-19*

Él recompensará a cada uno conforme a sus obras: vida eterna a los que por su perseverancia en las buenas obras buscan gloria, honra e incorrupción; pero enojo e ira a los que son contenciosos y no obedecen a la verdad sino que obedecen a la injusticia; tribulación y angustia sobre toda persona que hace lo malo (el judío primero, y también el griego); pero gloria, honra y paz a cada uno que hace el bien (al judío primero, y también al griego).

*Romanos 2:6-10*

Pero si esperamos lo que no vemos, con perseverancia lo aguardamos.

*Romanos 8:25*

Pues lo que fue escrito anteriormente fue escrito para nuestra enseñanza a fin de, que por la perseverancia y la exhortación de las Escrituras, tengamos esperanza. Y el Dios de la perseverancia y de la exhortación les conceda que tengan el mismo sentir los unos por los otros según Cristo Jesús para que, unánimes y a una sola voz, glorifiquen al Dios y Padre de nuestro Señor Jesucristo.

*Romanos 15:4-6*

Por tanto, nosotros también, teniendo en derredor nuestro tan grande nube de testigos, despojémonos de todo peso y del pecado que tan fácilmente nos enreda, y corramos con perseverancia la carrera que tenemos delante de nosotros.

*Hebreos 12:1*

Hermanos míos, tengan por sumo gozo cuando se encuentren en diversas pruebas sabiendo que la prueba de su fe produce paciencia. Pero que la paciencia tenga su obra completa para que sean completos y cabales, no quedando atrás en nada.

*Santiago 1:2-4*

Hermanos, yo mismo no pretendo haberlo ya alcanzado. Pero una cosa hago: olvidando lo que queda atrás y extendiéndome a lo que está por delante, prosigo a la meta hacia el premio del supremo llamamiento de Dios en Cristo Jesús.

*Filipenses 3:13, 14*

Busquen al SEÑOR y su poder; busquen continuamente su rostro.

*1 Crónicas 16:11*

Pero persiste tú en lo que has aprendido y te has persuadido, sabiendo de quiénes lo has aprendido.

*2 Timoteo 3:14*

No nos cansemos, pues, de hacer el bien porque a su tiempo cosecharemos, si no desmayamos.

*Gálatas 6:9*

Guarden, pues, las palabras de este pacto y pónganlas por obra, para que prosperen en todo lo que hagan.

*Deuteronomio 29:9*

Solamente esfuérzate y sé muy valiente, para cuidar de cumplir toda la ley que mi siervo Moisés te mandó. No te apartes de ella ni a la derecha ni a la izquierda, para que tengas éxito en todo lo que emprendas.

*Josué 1:7*

Y ustedes serán aborrecidos de todos por causa de mi nombre. Pero el que persevere hasta el fin, este será salvo.

*Marcos 13:13*

## Promesas de Dios ante tu deber de: SOMETERTE Y SUJETARTE A DIOS Y A LOS HERMANOS EN LA FE

Sométanse, pues, a Dios. Resistan al diablo, y él huirá de ustedes.

*Santiago 4:7*

Y sometiéndose unos a otros en el temor de Cristo.

*Efesios 5:21*

Estén sujetos a toda institución humana por causa del Señor; ya sea al rey como quien ejerce soberanía, o a los gobernantes como quienes han sido enviados por él para el castigo de los que hacen el mal y para la alabanza de los que hacen el bien. Porque esta es la voluntad de Dios: que haciendo el bien hagan callar la ignorancia de los hombres insensatos.

*1 Pedro 2:13-15*

Las casadas estén sujetas a sus propios esposos como al Señor, porque el esposo es cabeza de la esposa así como Cristo es cabeza de la iglesia, y él mismo es salvador de su cuerpo. Así que, como la iglesia está sujeta a Cristo, de igual manera las esposas lo estén a sus esposos en todo.

*Efesios 5:22-24*

Asimismo ustedes, jóvenes, estén sujetos a los ancianos; y revístanse todos de humildad unos para con otros, porque: *Dios resiste a los soberbios pero da gracia a los humildes.* Humíllense, pues, bajo la poderosa mano de Dios para que él los exalte al debido tiempo.

*1 Pedro 5:5, 6*

## Promesas de Dios ante tu deber de:<br>SER HUMILDE

Digo, pues, a cada uno de ustedes por la gracia que me ha sido dada, que nadie tenga más alto concepto de sí que el que deba tener; más bien, que piense con sensatez, conforme a la medida de la fe que Dios repartió a cada uno.

*Romanos 12:3*

Mejor es humillar el espíritu con los humildes que repartir botín con los soberbios.

*Proverbios 16:19*

El temor del SEÑOR es la enseñanza de la sabiduría, y antes de la honra está la humildad.

*Proverbios 15:33*

Por tanto —como escogidos de Dios, santos y amados— vístanse de profunda compasión, de benignidad, de humildad, de mansedumbre y de paciencia.

*Colosenses 3:12*

Entonces los humildes volverán a alegrarse en el SEÑOR, y los más necesitados de los hombres se regocijarán en el Santo de Israel.

*Isaías 29:19*

Riquezas, honra y vida son la remuneración de la humildad y del temor del SEÑOR.

*Proverbios 22:4*

No hagan nada por rivalidad ni por vanagloria sino estimen humildemente a los demás como superiores a ustedes mismos; no considerando cada cual solamente los intereses propios sino considerando cada uno también los intereses de los demás.

*Filipenses 2:3, 4*

Por eso yo, prisionero en el Señor, les exhorto a que anden como es digno del llamamiento con que fueron llamados: con toda humildad y mansedumbre, con paciencia, soportándose los unos a los otros en amor, procurando con diligencia guardar la unidad del Espíritu en el vínculo de la paz.

*Efesios 4:1-3*

Aunque el SEÑOR es sublime, mira al humilde;
pero al altivo lo reconoce de lejos.

*Salmo 138:6*

El SEÑOR ayuda a los humildes pero a los impíos humilla hasta el suelo.

*Salmo 147:6*

Porque así ha dicho el Alto y Sublime, el que habita la eternidad y cuyo nombre es el Santo: "Yo habito en las alturas y en santidad; pero estoy con el de espíritu contrito y humillado, para vivificar el espíritu de los humildes y para vivificar el corazón de los oprimidos.

*Isaías 57:15*

Pero Dios, que consuela a los humildes, nos consoló con la venida de Tito.

*2 Corintios 7:6*

Lleven mi yugo sobre ustedes, y aprendan de mí, que soy manso y humilde de corazón; y hallarán descanso para su alma. Porque mi yugo es fácil, y ligera mi carga".

*Mateo 11:29*

Pero él da mayor gracia. Por eso dice: *Dios resiste a los soberbios pero da gracia a los humildes.*

*Santiago 4:6*

Él pone en alto a los humillados, y los enlutados logran gran liberación.

*Job 5:11*

Bueno y recto es el SEÑOR; por eso él enseñará a los pecadores el camino. Encaminará a los humildes en la justicia y enseñará a los humildes su camino.

*Salmo 25:8, 9*

Porque el SEÑOR se agrada de su pueblo, a los humildes adornará con salvación.

*Salmo 149:4*

La maldición del SEÑOR está en la casa del impío, pero él bendice la morada de los justos.
Ciertamente él se burlará de los que se burlan, pero a los humildes concederá gracia.

*Proverbios 3:33, 34*

## Promesas de Dios ante tu deber de: OBEDECER

Entonces Samuel preguntó:

—¿Se complace tanto el SEÑOR en los holocaustos y en los sacrificios como en que la palabra del SEÑOR sea obedecida? Ciertamente el obedecer es mejor que los sacrificios, y el prestar atención es mejor que el sebo de los carneros.

*1 Samuel 15:22*

Obedezcan a sus dirigentes y sométanse a ellos porque ellos velan por la vida de ustedes como quienes han de dar cuenta; para que lo hagan con alegría y sin quejarse pues esto no les sería provechoso.

*Hebreos 13:17*

Y les dijo: "Vayan por todo el mundo y prediquen el evangelio a toda criatura".

*Marcos 16:15*

"No todo el que me dice 'Señor, Señor' entrará en el reino de los cielos, sino el que hace la voluntad de mi Padre que está en los cielos".

*Mateo 7:21*

Entonces serás prosperado, si cuidas de poner por obra las leyes y los decretos que el SEÑOR mandó a Moisés para Israel. Esfuérzate, pues, y sé valiente. ¡No temas ni desmayes!

*1 Crónicas 22:13*

Nunca se aparte de tu boca este libro de la Ley; más bien, medita en él de día y de noche, para que guardes y cumplas todo lo que está escrito en él. Así tendrás éxito y todo te saldrá bien.

*Josué 1:8*

Entonces los llamaron y les ordenaron terminantemente que no hablaran ni enseñaran en el nombre de Jesús. Pero respondiendo Pedro y Juan, les dijeron:

—Juzguen ustedes si es justo delante de Dios obedecerles a ustedes antes que a Dios. Porque nosotros no podemos dejar de decir lo que hemos visto y oído.

*Hechos 4:18-20*

Guarda lo que el SEÑOR tu Dios te ha encomendado, para andar en sus caminos y guardar sus estatutos, sus mandamientos, sus decretos y sus testimonios, como está escrito en la ley de Moisés, para que tengas éxito en todo lo que hagas y en todo lo que emprendas.

*1 Reyes 2:3*

—¡Al SEÑOR nuestro Dios serviremos, y su voz obedeceremos!

*Josué 24:24b*

## Promesas de Dios ante tu deber de: TESTIFICAR

De cierto, de cierto les digo que el que cree en mí, él también hará las obras que yo hago. Y mayores que estas hará, porque yo voy al Padre.

*Juan 14:12*

Entonces Jesús les dijo otra vez: "¡Paz a ustedes! Como me ha enviado el Padre, así también yo los envío a ustedes". Habiendo dicho esto, sopló y les dijo: "Reciban el Espíritu Santo".

*Juan 20:21*

Pero recibirán poder cuando el Espíritu Santo haya venido sobre ustedes, y me serán testigos en Jerusalén, en toda Judea, en Samaria y hasta lo último de la tierra.

*Hechos 1:8*

Y les dijo: "Vengan en pos de mí, y los haré pescadores de hombres".

*Mateo 4:19*

Y nosotros hemos visto y testificamos que el Padre ha enviado al Hijo como Salvador del mundo.

*1 Juan 4:14*

## Promesas de Dios ante tu deber de:
## SER AGRADECIDO

Den gracias en todo, porque esta es la voluntad de Dios para ustedes en Cristo Jesús.

*1 Tesalonicenses 5:18*

Lavaré mis manos en inocencia e iré alrededor de tu altar, oh SEÑOR, para proclamar con voz de agradecimiento y contar todas tus maravillas.

*Salmo 26:6, 7*

¡Gracias te damos, oh Dios; te damos gracias! Porque cercano está tu nombre; se cuenta de tus maravillas.

*Salmo 75:1*

Entren por sus puertas con acción de gracias, por sus atrios con alabanza. Denle gracias; bendigan su nombre porque el SEÑOR es bueno. Para siempre es su misericordia, y su fidelidad por todas las generaciones.

*Salmo 100:4, 5*

Acciones de gracias saldrán de ellos, y la voz de los que se regocijan. Los multiplicaré, y no serán disminuidos. Los honraré, y no serán insignificantes.

*Jeremías 30:19*

A ti, oh Dios de mis padres, te doy gracias y te alabo, porque me has dado sabiduría y poder.

*Daniel 2:23a*

Entonces él mandó a la multitud recostarse en tierra. Tomó los siete panes y, habiendo dado gracias, los partió y daba a sus discípulos para que ellos los sirvieran. Y ellos los sirvieron a la multitud.

*Marcos 8:6*

Luego quitaron la piedra, y Jesús alzó los ojos arriba y dijo:

—Padre, te doy gracias porque me oíste.

*Juan 11:41*

Primeramente, doy gracias a mi Dios por medio de Jesucristo con respecto a todos ustedes, porque su fe es proclamada en todo el mundo.

*Romanos 1:8*

Pero gracias a Dios porque, aunque eran esclavos del pecado, han obedecido de corazón a aquella forma de enseñanza a la cual se han entregado.

*Romanos 6:17*

Pero gracias a Dios quien nos da la victoria por medio de nuestro Señor Jesucristo.

*1 Corintios 15:57*

Pero gracias a Dios que hace que siempre triunfemos en Cristo y que manifiesta en todo lugar el olor de su conocimiento por medio de nosotros.

*2 Corintios 2:14*

¡Gracias a Dios por su don inefable!

*2 Corintios 9:15*

El que da semilla al que siembra y pan para comer, proveerá y multiplicará la semilla de ustedes y aumentará los frutos de la justicia de ustedes. Esto, para que sean enriquecidos en todo para toda liberalidad, la cual produce acciones de gracias a Dios por medio de nosotros.

*2 Corintios 9:10, 11*

Hablando entre ustedes con salmos, himnos y canciones espirituales; cantando y alabando al Señor en su corazón; dando gracias siempre por todo al Dios y Padre en el nombre de nuestro Señor Jesucristo.

*Efesios 5:19, 20*

Por esta razón, nosotros también damos gracias a Dios sin cesar; porque cuando recibieron la palabra de Dios que oyeron de parte nuestra, la aceptaron, no como palabra de hombres, sino como lo que es de veras, la palabra de Dios quien obra en ustedes los que creen.

*1 Tesalonicenses 2:13*

Y los veinticuatro ancianos, que estaban sentados en sus tronos delante de Dios, se postraron sobre sus rostros y adoraron a Dios diciendo: "Te damos gracias, Señor Dios Todopoderoso, que eres y que eras, porque has asumido tu gran poder, y reinas".

*Apocalipsis 11:16, 17*

# VIII

## El Libro de Dios te insta a:


1. Gozar las bendiciones y los privilegios de los hijos de Dios ..... 181
2. Vivir la plenitud de vida .................. 182
3. Vivir en el Espíritu Santo .............. 185
4. Ejercer tus dones espirituales ........ 188
5. Procurar la imagen de Dios en ti .. 190
6. Esperar la vida futura .................... 191
7. Aprovechar las oportunidades de servicio hoy ................................ 191

**El Libro de Dios te insta a:**
**GOZAR LAS BENDICIONES Y LOS PRIVILEGIOS DE LOS HIJOS DE DIOS**

Pero ustedes son linaje escogido, real sacerdocio, nación santa, pueblo adquirido, para que anuncien las virtudes de aquel que los ha llamado de las tinieblas a su luz admirable.

*1 Pedro 2:9*

Amados, ahora somos hijos de Dios, y aún no se ha manifestado lo que seremos. Pero sabemos que, cuando él sea manifestado, seremos semejantes a él porque le veremos tal como él es.

*1 Juan 3:2*

Y por cuanto son hijos, Dios envió a nuestro corazón el Espíritu de su Hijo que clama: "Abba, Padre". Así que ya no eres más esclavo sino hijo; y si hijo, también eres heredero por medio de Dios.

*Gálatas 4:6, 7a*

¿Qué acuerdo puede haber entre un templo de Dios y los ídolos? Porque nosotros somos templo del Dios viviente, como Dios dijo: *Habitaré y andaré entre ellos. Yo seré su Dios, y ellos serán mi pueblo.*

*2 Corintios 6:16*

Así que, somos embajadores en nombre de Cristo; y como Dios les exhorta por medio nuestro, les rogamos en nombre de Cristo: ¡Reconcíliense con Dios!

*2 Corintios 5:20*

Porque somos hechura de Dios, creados en Cristo Jesús para hacer las buenas obras que Dios preparó de antemano para que anduviésemos en ellas.

*Efesios 2:10*

Al que nos ama y nos libró de nuestros pecados con su sangre y nos constituyó en un reino, sacerdotes para Dios su Padre; a él sea la gloria y el dominio para siempre jamás. Amén.

*Apocalipsis 1:5b, 6*

Ellos entonaban un cántico nuevo, diciendo: "¡Digno eres de tomar el libro y de abrir sus sellos! Porque tú fuiste inmolado y con tu sangre has redimido para Dios gente de toda raza, lengua, pueblo y nación. Tú los has constituido en un reino y sacerdotes para nuestro Dios, y reinarán sobre la tierra".

*Apocalipsis 5:9, 10*

## El Libro de Dios te insta a: VIVIR LA PLENITUD DE VIDA

Hijo mío, no te olvides de mi instrucción y guarde tu corazón mis mandamientos; porque abundancia de días y años de vida y bienestar te aumentarán.

*Proverbios 3:1, 2*

No apaguen el Espíritu.

*1 Tesalonicenses 5:19*

Si alguno tiene sed, venga a mí y beba. El que cree en mí, como dice la Escritura, ríos de agua viva correrán de su interior.

*Juan 7:37b, 38*

Porque yo derramaré aguas sobre el suelo sediento, y torrentes sobre la tierra seca. Derramaré mi Espíritu sobre tus descendientes, y mi bendición sobre tus vástagos.

*Isaías 44:3*

El justo florecerá como la palmera; crecerá alto como el cedro en el Líbano. Plantados estarán en la casa del SEÑOR; florecerán en los atrios de nuestro Dios. Aun en la vejez fructificarán. Estarán llenos de savia y frondosos para anunciar que el SEÑOR, mi roca, es recto y que en él no hay injusticia.

*Salmo 92:12-15*

Su divino poder nos ha concedido todas las cosas que pertenecen a la vida y a la piedad por medio del conocimiento de aquel que nos llamó por su propia gloria y excelencia. Mediante ellas nos han sido dadas preciosas y grandísimas promesas, para que por ellas ustedes sean hechos participantes de la naturaleza divina, después de haber huido de la corrupción que hay en el mundo debido a las bajas pasiones.

*2 Pedro 1:3, 4*

Porque de su plenitud todos nosotros recibimos, y gracia sobre gracia.

*Juan 1:16*

Respondió Jesús y le dijo:

—Todo el que bebe de esta agua volverá a tener sed. Pero cualquiera que beba del agua que yo le daré, nunca más tendrá sed sino que el agua que yo le daré será en él una fuente de agua que salte para vida eterna.

*Juan 4:13, 14*

Toda buena dádiva y todo don perfecto proviene de lo alto y desciende del Padre de las luces en quien no hay cambio ni sombra de variación.

*Santiago 1:17*

Cuando obedezcas la voz del SEÑOR tu Dios, vendrán sobre ti todas estas bendiciones, y te alcanzarán: Bendito serás en la ciudad, y bendito en el campo. Benditos serán el fruto de tu vientre, el fruto de tu tierra y el fruto de tu ganado, la cría de tus vacas y el aumento de tus ovejas. Benditas serán tu canasta y tu artesa de amasar. Bendito serás al entrar, y bendito al salir.

*Deuteronomio 28:2-6*

Y poderoso es Dios para hacer que abunde en ustedes toda gracia, a fin de que, teniendo siempre en todas las cosas todo lo necesario, abunden para toda buena obra; como está escrito: *Esparció; dio a los pobres. Su justicia permanece para siempre.*

*2 Corintios 9:8, 9*

## El Libro de Dios te insta a: VIVIR EN EL ESPÍRITU SANTO

Porque yo derramaré aguas sobre el suelo sediento, y torrentes sobre la tierra seca. Derramaré mi Espíritu sobre tus descendientes, y mi bendición sobre tus vástagos.

*Isaías 44:3*

Entonces me explicó diciendo:

—Esta es la palabra del SEÑOR para Zorobabel: "No con ejército ni con fuerza, sino con mi Espíritu, ha dicho el SEÑOR de los Ejércitos".

*Zacarías 4:6*

Y cuando venga el Espíritu de verdad, él les guiará a toda la verdad pues no hablará por sí solo sino que hablará todo lo que oiga y les hará saber las cosas que han de venir.

*Juan 16:13*

Pero recibirán poder cuando el Espíritu Santo haya venido sobre ustedes, y me serán testigos en Jerusalén, en toda Judea, en Samaria y hasta lo último de la tierra.

*Hechos 1:8*

Porque los que viven conforme a la carne piensan en las cosas de la carne; pero los que viven conforme al Espíritu, en las cosas del Espíritu. Porque la intención de la carne es muerte, pero la intención del

Espíritu es vida y paz. Sin embargo, ustedes no viven según la carne sino según el Espíritu, si es que el Espíritu de Dios mora en ustedes. Si alguno no tiene el Espíritu de Cristo, no es de él. Pero si Cristo está en ustedes, aunque el cuerpo esté muerto a causa del pecado, no obstante el espíritu vive a causa de la justicia. Y si el Espíritu de aquel que resucitó a Jesús de entre los muertos mora en ustedes, el que resucitó a Cristo de entre los muertos también les dará vida a sus cuerpos mortales mediante su Espíritu que mora en ustedes.

Así que, hermanos, somos deudores, pero no a la carne para que vivamos conforme a la carne. Porque si viven conforme a la carne, han de morir; pero si por el Espíritu hacen morir las prácticas de la carne, vivirán. Porque todos los que son guiados por el Espíritu de Dios, estos son hijos de Dios. Pues no recibieron el espíritu de esclavitud para estar otra vez bajo el temor sino que recibieron el espíritu de adopción como hijos, en el cual clamamos: "¡Abba, Padre!". El Espíritu mismo da testimonio juntamente con nuestro espíritu de que somos hijos de Dios.

*Romanos 8:5, 6, 9-16*

Y yo rogaré al Padre y les dará otro Consolador para que esté con ustedes para siempre. Este es el Espíritu de verdad, a quien el mundo no puede recibir porque no lo ve ni lo conoce. Ustedes lo conocen, porque permanece con ustedes y está en ustedes.

*Juan 14:16, 16*

Y por cuanto son hijos, Dios envió a nuestro corazón el Espíritu de su Hijo que clama: "Abba, Padre". Así que ya no eres más esclavo sino hijo; y si hijo, también eres heredero por medio de Dios.

*Gálatas 6:6, 7*

¿O no saben que su cuerpo es templo del Espíritu Santo, que mora en ustedes, el cual tienen de Dios, y que no son de ustedes? Pues han sido comprados por precio. Por tanto, glorifiquen a Dios en su cuerpo.

*1 Corintios 6:19, 20*

¿No saben que son templo de Dios, y que el Espíritu de Dios mora en ustedes? Si alguien destruye el templo de Dios, Dios lo destruirá a él; porque santo es el templo de Dios, el cual son ustedes.

*1 Corintios 3:16, 17*

"Sucederá después de esto que derramaré mi Espíritu sobre todo mortal. Sus hijos y sus hijas profetizarán. Sus ancianos tendrán sueños; y sus jóvenes, visiones. En aquellos días también derramaré mi Espíritu sobre los siervos y las siervas".

*Joel 2:28, 29*

Yo, a la verdad, los bautizo en agua para arrepentimiento; pero el que viene después de mí, cuyo calzado no soy digno de llevar, es más poderoso que yo. Él les bautizará en el Espíritu Santo y fuego.

*Mateo 3:11*

Pues si ustedes, siendo malos, saben dar buenos regalos a sus hijos, ¿cuánto más su Padre celestial dará el Espíritu Santo a los que le pidan?

*Lucas 11:13*

El que cree en mí, como dice la Escritura, ríos de agua viva correrán de su interior. Esto dijo acerca del Espíritu que habían de recibir los que creyeran en él, pues todavía no había sido dado el Espíritu porque Jesús aún no había sido glorificado.

*Juan 7:38, 39*

Y la esperanza no acarrea vergüenza porque el amor de Dios ha sido derramado en nuestros corazones por el Espíritu Santo que nos ha sido dado.

*Romanos 5:5*

## El Libro de Dios te insta a: EJERCER TUS DONES ESPIRITUALES

De manera que tenemos dones que varían según la gracia que nos ha sido concedida: Si es de profecía, úsese conforme a la medida de la fe; si es de servicio, en servir; el que enseña, úselo en la enseñanza; el que exhorta, en la exhortación; el que comparte, con liberalidad; el que preside, con diligencia; y el que hace misericordia, con alegría.

*Romanos 12:6-8*

Así el testimonio de Cristo ha sido confirmado entre ustedes hasta no faltarles ningún don, mientras esperan la manifestación de nuestro Señor Jesucristo.

*1 Corintios 1:6, 7*

Pero no quiero que ignoren, hermanos, acerca de los dones espirituales. Ahora bien, hay diversidad de dones; pero el Espíritu es el mismo. Hay también diversidad de ministerios, pero el Señor es el mismo. También hay diversidad de actividades, pero el mismo Dios es el que realiza todas las cosas en todos. Pero a cada cual le es dada la manifestación del Espíritu para provecho mutuo. Porque a uno se le da palabra de sabiduría por medio del Espíritu; pero a otro, palabra de conocimiento según el mismo Espíritu; a otro, fe por el mismo Espíritu; y a otro, dones de sanidades por un solo Espíritu; a otro, el hacer milagros; a otro, profecía; a otro, discernimiento de espíritus; a otro, géneros de lenguas; y a otro, interpretación de lenguas. Pero todas estas cosas las realiza el único y mismo Espíritu, repartiendo a cada uno en particular como él designa.

*1 Corintios 12:1, 4-11*

Ahora bien, ustedes son el cuerpo de Cristo, y miembros suyos individualmente. A unos puso Dios en la iglesia, primero apóstoles, en segundo lugar profetas, en tercer lugar maestros; después milagros, después los dones de sanidades, ayudas, administraciones, diversidad de lenguas. ¿Acaso son todos apóstoles?, ¿todos profetas?, ¿todos maestros? ¿Acaso hacen todos milagros? ¿Acaso tienen todos dones de sanidades? ¿Acaso hablan todos en lenguas? ¿Acaso interpretan todos? Con todo, anhelen los mejores dones.

*1 Corintios 12:27-31a*

Cada uno ponga al servicio de los demás el don que ha recibido, como buenos administradores de la multiforme gracia de Dios. Si alguien habla, hable conforme a las palabras de Dios. Si alguien presta servicio, sirva conforme al poder que Dios le da, para que en todas las cosas Dios sea glorificado por medio de Jesucristo, a quien pertenecen la gloria y el dominio por los siglos de los siglos. Amén.

*1 Pedro 4:10, 11*

## El Libro de Dios te insta a: PROCURAR LA IMAGEN DE DIOS EN TI

Y así como hemos llevado la imagen del terrenal, llevaremos también la imagen del celestial.

*1 Corintios 15:49*

Sabemos que a los que antes conoció, también los predestinó para que fuesen hechos conformes a la imagen de su Hijo a fin de que él sea el primogénito entre muchos hermanos.

*Romanos 8:29*

Por tanto, todos nosotros, mirando a cara descubierta como en un espejo la gloria del Señor, somos transformados de gloria en gloria en la misma imagen, como por el Espíritu del Señor.

*2 Corintios 3:18*

## El Libro de Dios te insta a: ESPERAR LA VIDA FUTURA

Amados, ahora somos hijos de Dios, y aún no se ha manifestado lo que seremos. Pero sabemos que, cuando él sea manifestado, seremos semejantes a él porque le veremos tal como él es.

*1 Juan 3:2*

Estando convencido de esto: que el que en ustedes comenzó la buena obra, la perfeccionará hasta el día de Cristo Jesús.

*Filipenses 1:6*

## El Libro de Dios te insta a: APROVECHAR LAS OPORTUNIDADES DE SERVICIO HOY:

Ustedes fueron llamados a la libertad, hermanos; solamente que no usen la libertad como pretexto para la carnalidad. Más bien, sírvanse los unos a los otros por medio del amor.

*Gálatas 5:13*

—Los reyes de las naciones se enseñorean de ellas, y los que tienen autoridad sobre ellas son llamados bienhechores. Pero entre ustedes no será así. Más bien, el que entre ustedes sea el importante, sea como el más nuevo; y el que es dirigente, como el que sirve. Porque, ¿cuál es el más importante: el que se sienta a la mesa, o el que sirve? ¿No es el que se sienta a la mesa? Sin embargo, yo estoy en medio de ustedes como el que sirve.

*Lucas 22:25b-27*

Que todo hombre nos considere como servidores de Cristo y mayordomos de los misterios de Dios.

*1 Corintios 4:1*

Si alguno me sirve, sígame; y donde yo estoy allí también estará mi servidor. Si alguno me sirve, el Padre le honrará.

*Juan 12:26*

Que los que tienen amos creyentes no los tengan en menos por ser hermanos. Al contrario, sírvanles mejor por cuanto son creyentes y amados los que se benefician de su buen servicio. Esto enseña y exhorta.

*1 Timoteo 6:2*

De manera que tenemos dones que varían según la gracia que nos ha sido concedida: Si es de profecía, úsese conforme a la medida de la fe; si es de servicio, en servir; el que enseña, úselo en la enseñanza.

*Romanos 12:6*, 7